MINUTEN GIDS

C++

C++

Jesse Liberty

ACADEMIC SERVICE
informatica

Oorspronkelijke titel: *Teach Yourself C++ in 10 Minutes.*
Authorized translation from the English language edition published by
Sams Publishing
Copyright © 1999 by Sams Publishing. All rights reserved.
Dutch language edition published by Academic Service, Schoonhoven.

Vertaling: Reinier Zwartjes

Uitgegeven door: Academic Service, Schoonhoven
Zetwerk: Fontline, Nijmegen
Druk: Krips bv, Meppel
Druk omslag: Sdu Grafisch Bedrijf, Den Haag
Bindwerk: Meeuwis, Amsterdam

Copyright Nederlandse vertaling © 2000 Academic Service

ISBN 90 395 1270 1
NUGI 854

INHOUD

Inleiding

Stelt u zich eens voor dat u C++ in een rap tempo moet leren. Wellicht programmeert u al in C, of u hebt C++ enige tijd geleden geleerd en wilt snel uw kennis ophalen. Misschien hebt u gewoon geen tijd om een complete basiscursus door te werken. Of misschien wilt u alleen maar opzoeken hoe u een bepaalde techniek moet uitvoeren.

Deze tien-minutengids is geschreven om u de hoofdzaken van deze effectieve programmeertaal bij te brengen in beknopte en gemakkelijk te verteren lessen. U kunt in tien minuten geen complete programmeertaal leren maar u kunt in die tijd wel een specifieke techniek leren.

Welkom bij C++ in tien minuten

Veel vakmensen kunnen het zich niet veroorloven uren en uren aan studie te besteden om voldoende over programmeren te weten te komen. Deze tien-minutengids is dan ook geen poging u alles over C++ te leren in wijdlopige hoofdstukken waarvoor u eigenlijk geen tijd hebt. In plaats daarvan worden de meest gebruikte aspecten van de programmeertaal uit het geheel gelicht en behandeld in op zichzelf staande lessen die steeds in tien minuten of minder kunnen worden voltooid.

Voor wie is dit boek bestemd?

Dit boek is voor iedereen die:

- De grondbeginselen van C++ snel wil leren
- Zijn kennis van C++ wil ophalen
- Een specifieke techniek wil opzoeken
- Wil uitzoeken of C++ is wat hij of zij zoekt

Wat wordt er in dit boek behandeld?

In deze tien-minutengids worden alle hoofdkenmerken van deze krachtige programmeertaal behandeld, met inbegrip van:

- Bewerken, compileren en linken
- De opbouw van C++-programma's
- Variabelen en constanten
- Functies en parameters
- Klassen en objecten
- Pointers en referenties
- Conditionele spring- en lusbewerkingen
- Datastructuren en arrays
- Overerving
- Inkapselen en verbergen van data
- Excepties
- Templates
- Polymorfisme en virtuele functies

IN DIT BOEK GEBRUIKTE CONVENTIES

Elke les in dit boek behandelt een ander aspect van programmeren met C++. De volgende pictogrammen helpen u bepaalde informatie in dit boek te herkennen:

 Tip Kijk hier voor snelle oplossingen en om verwarring te voorkomen.

 Waarschuwing Dit pictogram staat bij onderwerpen waarmee nieuwe gebruikers vaak problemen hebben en biedt praktische oplossingen voor die problemen.

Gewoon Nederlands Een definitie van nieuwe of onbekende termen in (u raadt het al) gewoon Nederlands.

WAT IS C++?

In deze les leert u hoe u voorbereidingen treft, ontwerpen maakt en begint met programmeren in C++.

WAAROM C++ DE JUISTE KEUZE IS

C++ heeft de voorkeur van een meerderheid aan professionele programmeurs, omdat deze programmeertaal voorziet in snelle, kleine programma's die in een robuuste en draagbare omgeving kunnen worden ontwikkeld. Met de hedendaagse C++-hulpprogramma's wordt het ontwikkelen van gecompliceerde en doeltreffende commerciële toepassingen een tamelijk ongecompliceerde taak. In deze eerste les leert u wat u moet weten voor u met programmeren in C++ begint.

VOORBEREIDING OP PROGRAMMEREN

De eerste vraag die u zich moet stellen wanneer u een programma voorbereidt is: 'Welk probleem probeer ik op te lossen?' Elk programma dient een duidelijk omschreven doel te dienen, en u zult merken dat dit zelfs voor de simpelste programma's in dit boek het geval is.

C++, ANSI C++, WINDOWS EN ANDERE OORZAKEN VAN VERWARRING

In deze tien-minutengids wordt niet van een bepaald besturingssysteem uitgegaan. In dit boek wordt ISO/ANSI standaard C++ behandeld (wat ik van nu af aan gewoon standaard C++ zal noemen).

Om deze reden vindt u in dit boek niets over vensters, keuzelijsten, grafische interfaces, enzovoort. Al deze zaken zijn afhankelijk van het besturingssysteem (Windows verschilt bijvoorbeeld van de Macintosh). De uitvoer wordt als 'standaarduitvoer' weergegeven (dat wil zeggen, alleen als tekst die naar het scherm wordt geschreven).

DE COMPILER EN EDITOR

U kunt dit boek met elke willekeurige compiler of editor gebruiken, maar ik demonstreer alles met behulp van *Visual C++ 6.0* van Microsoft. Ik maak gebruik van de *Enterprise Edition*, die tijdens het schrijven van dit boek rond de $1.200 kost. Microsoft verkoopt ook een aantal minder uitgebreide versies van deze compiler, waaronder de *Introductory Edition*, die bij *Sams Teach Yourself C++ In 21 Days, Complete Compiler Edition* wordt geleverd. Dit boek, dat ook door mij is geschreven, is bedoeld voor lezers die behoefte hebben aan uitgebreide informatie en oefeningen aan het einde van elk hoofdstuk, en die meer tijd aan het leren van de programmeertaal willen of kunnen besteden.

MET EEN NIEUW PROJECT BEGINNEN

Goed, het is tijd dat we beginnen. De installatie van de compiler dient u alleen uit te voeren, maar dat behoort weinig problemen te geven. In deze paragraaf wordt beschreven hoe u met Visual C++ begint. Dit is de ontwerpomgeving die ik gebruik, maar de algemene principes zijn in iedere omgeving van toepassing.

Om te beginnen kiest u File/New. Het dialoogvenster voor het maken van nieuwe bestanden, werkruimte, enzovoort wordt weergegeven. Zie figuur 1.1.

Er valt hier een groot aantal interessante zaken te bekijken, maar wij zijn alleen geïnteresseerd in een klein gedeelte daarvan: Win32 Console Application. Klik op het tabblad Projects en klik vervolgens op Win32 Console Application. Vul een naam voor het project in. In ons geval kan een project gewoon als een 'programma' worden beschouwd. Daarna kunt u op OK klikken.

U wordt gevraagd wat voor project u wilt. Kies de standaardoptie: An Empty Project. Als u een andere versie van de Microsoft-compiler hebt, kunnen de vensters enigszins verschillen, maar de keuzemogelijkheden zouden duidelijk moeten zijn.

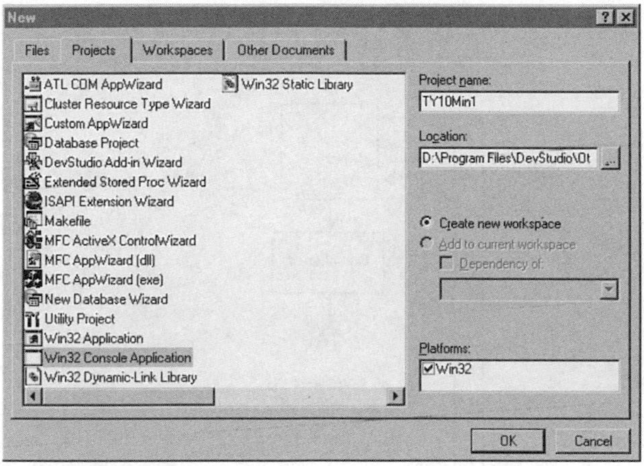

Figuur 1.1 Met een project beginnen in Visual C++

U bevindt zich nu in de Microsoft Editor. Lees de documentatie door. Vanaf deze plaats kunt u .ccp-bestanden (broncodebestanden) en .h-bestanden (header-bestanden) maken. U kunt een programma compileren, linken en uitvoeren. (Ik leg deze stappen straks uit.) Onthoud dat u bij het uitvoeren van het programma op Ctrl-F5 kunt drukken. Hierdoor wordt een uitvoervenster geopend waarin de resultaten worden weergegeven. Druk op een toets om het venster weer te sluiten.

DE ONTWERPCYCLUS

Als elk programma bij de eerste poging zou werken, zou de volledige ontwerpcyclus als volgt verlopen: schrijf het programma, compileer de broncode, link het programma en voer het uit. Jammer genoeg kent elk programma, hoe onbeduidend ook, programmafouten of *bugs*. Sommige bugs hebben tot gevolg dat het compileren faalt, sommige hebben tot gevolg dat het linken faalt en andere komen pas tevoorschijn wanneer u het programma uitvoert.

Welk type bug u ook vindt, u moet deze repareren. Dat houdt in dat u de broncode moet bewerken, opnieuw moet compileren en linken en het programma opnieuw moet uitvoeren. De ontwerpcyclus is in figuur 1.2 weergegeven.

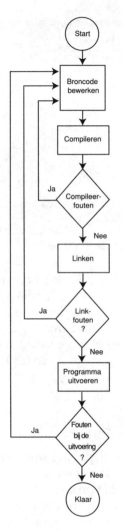

Figuur 1.2 De stappen in de ontwikkeling van een C++-programma

HELLO.CPP - UW EERSTE C++-PROGRAMMA

Traditionele programmeerhandboeken beginnen vaak met een programma dat de woorden *Hello World* naar het scherm schrijft. Deze aloude traditie wordt ook hier in ere gehouden.

Open File/New en kies C++ Source File. Voer een naam in (ik gebruik *hello*). Voer de programmacode van programma 1.1 in de editor, op precies dezelfde manier, maar zonder de regelnummers.
Wanneer u er zeker van bent dat het bestand correct is overgeno-
men, slaat u het op.

> **TIP**
>
> **Regelnummers in programmacode** Het volgende
> programma kent regelnummers. Deze nummers zijn
> slechts verwijzingen ten behoeve van dit boek. Ze mo-
> gen niet in de editor worden getypt. Op regel 1 van
> programma 1.1 moet u bijvoorbeeld het volgende in-
> voeren:
>
> ```
> #include <iostream.h>
> ```

Programma 1.1 HELLO.CPP, het programma Hello World

```
1:    #include <iostream.h>
2:
3:    int main()
4:    {
5:        cout << "Hello World!\n";
6:        return 0;
7:    }
```

Zorg ervoor dat u de code precies zo invoert. Schenk veel aandacht
aan de interpunctie. Het symbool << op regel 5 is het symbool voor
bitverschuiving (*redirection*), dat op de meeste toetsenborden wordt
gemaakt door de Shift-toets in te drukken en tweemaal op de kom-
matoets te drukken. Regel 5 eindigt met een puntkomma. Laat
deze niet weg!

In C++ zijn alle tekens, ook leestekens, van cruciaal belang. Ze
moeten daarom zorgvuldig worden ingevoerd. Bovendien is C++
hoofdlettergevoelig: Return en return zijn dus niet hetzelfde.

> **TIP** Interpunctiefouten Hoewel moderne compilers de re-
> gel waarin de programmeerfout is opgetreden probe-
> ren te vinden, kan de afwezigheid van een puntkom-
> ma of een afsluitende accolade de compiler in
> verwarring brengen. Hierdoor kan er een regel worden
> aangewezen die prima in orde is. Kijk uit met inter-
> punctiefouten: ze zijn lastig op te sporen.

COMPILEERFOUTEN

Tijdens het compileren kunnen om verschillende redenen fouten
optreden. Gewoonlijk zijn deze het gevolg van een tikfout of een
andere onopzettelijk foutje. Goede compilers vertellen u niet alleen
wat u fout hebt gedaan, maar geven ook precies aan waar in de
programmacode u de fout hebt gemaakt. De beste compilers stellen zelfs een remedie voor!

U kunt dit testen door opzettelijk een fout in een programma te
maken. Nadat HELLO.CPP probleemloos is uitgevoerd, bewerkt u
de programmacode en verwijdert u de afsluitende accolade op regel 7. Het programma ziet er nu uit als in programma 1.2.

Programma 1.2 Voorbeeld van een compileerfout

```
1:    #include <iostream.h>
2:
3:    int main()()
4:    {
5:        cout << "Hello World!\n";
6:        return 0;
```

Compileer het programma opnieuw. U krijgt nu een foutbericht
dat overeenkomt met het volgende:

```
F:\Mcp\Tycpp10m\Source\List0102.cpp(8) :
fatal error C1004: unexpected end of file found
```

Dit foutbericht geeft informatie over het bestand, het regelnummer
waar het probleem zich voordoet, en de aard van het probleem.
Eerdere versies van Visual C++ gaven bij dezelfde broncode ongeveer de volgende fout als resultaat:

```
Hello.cpp, line 5: Compound statement missing
terminating } in function main()
```

Dit oudere foutbericht was een stuk cryptischer en gaf regel 5 op. De compiler wist niet zeker of u de afsluitende accolade voor of na het statement cout in regel 5 wilde plaatsen. Soms geven de foutberichten alleen ongeveer de plaats van de fout aan. Als een compiler elk probleem volmaakt kon aangeven, zou de compiler de programmacode zelf kunnen repareren.

In deze les hebt u geleerd hoe u zich op programmeren in C++ moet voorbereiden.

WAT IS EEN C++-PROGRAMMA?

In deze les leert u wat de onderdelen van een C++-programma zijn, hoe deze onderdelen samenwerken, wat een functie is en wat deze doet.

DE ONDERDELEN VAN EEN EENVOUDIG PROGRAMMA

Voor we diep in C++ duiken, en ons met klassen, variabelen, enzovoort, gaan bezighouden, nemen we tien minuten de tijd om gevoel te krijgen voor de manier waarop een programma in elkaar steekt.

Het eenvoudige programma uit de eerste les HELLO.CPP kent veel interessante onderdelen. In deze paragraaf wordt dit programma uitgebreider bestudeerd. Programma 2.1 is de oorspronkelijke versie van HELLO.CPP, die hier voor het gemak nog eens wordt herhaald.

Programma 2.1   HELLO.CPP als voorbeeld van de onderdelen van een C++-programma

```
1:  #include <iostream.h>
2:
3:  int main()
4:  {
5:      cout << "Hello World!\n";
6:      return 0;
7:  }
```
Resultaat
```
Hello World!
```

Op regel 1 is het bestand iostream.h in het bestand opgenomen. Voor de compiler is het alsof u de volledige inhoud van het bestand iostream.h aan het begin van HELLO.CPP hebt getypt.

#include TEKEN VOOR TEKEN BEKIJKEN

Het eerste teken is het symbool #, dat een signaal voor de *preprocessor* is. Het is de taak van de preprocessor de broncode door te lezen op zoek naar regels die met het 'hekje' (#) beginnen en de programmacode aan te passen wanneer het hekje wordt gevonden.

include is een preprocessor-instructie die zoveel wil zeggen als: 'Wat hierna volgt is een bestandsnaam. Zoek het bestand en lees het hier in.' De punthaken aan weerszijden van de bestandsnaam vertellen de preprocessor: 'Zoek op alle gebruikelijke plaatsen naar dit bestand.' Als de compiler goed is ingesteld, zorgen de punthaken ervoor dat de preprocessor het bestand Iostream.H zoekt in de directory waarin zich alle H-bestanden voor de compiler bevinden. Het bestand Iostream.H (*input/output-stream*) wordt door cout gebruikt, die een rol speelt bij schrijven naar het scherm.

Het resultaat van regel 1 is dat het bestand Iostream.H in het programma wordt opgenomen alsof u het zelf hebt ingetikt.

REGEL VOOR REGEL ANALYSEREN

Op regel 3 begint het eigenlijke programma met de functie main(). Elk C++-programma heeft de functie main(). In het algemeen is een functie een blok programmacode dat één of meer acties verricht. Functies worden aangeroepen door andere functies, maar main() vormt hierop een uitzondering. Wanneer het programma start, wordt main() automatisch aangeroepen.

Zoals alle functies moet main() aangeven welk type waarde er wordt afgeleverd. Ook hier geldt dat main() een uitzondering op de regel is, want main() levert altijd int af. Hoe een functie een waarde aflevert wordt uitgebreid besproken in les 4, 'Statements'.

Alle functies beginnen met 'accolade openen' ({) en eindigen met 'accolade sluiten' (}). De accolades voor de functie main() bevinden zich op de regels 4 en 7. Alles tussen de accolades voor openen en sluiten wordt als een onderdeel van de functie beschouwd.

> **TIP**
>
> **De betekenisloze nul** De nul is een betekenisloze waarde die nog maar zelden wordt gebruikt (in Unix en DOS wordt de nul soms in batchbestanden gebruikt om succes of falen van een programma aan te geven).

Met cout wordt een bericht op het scherm weergegeven.

De laatste twee tekens, \n, maken cout duidelijk dat na de woorden Hello World! op een nieuwe regel moet worden begonnen. Op regel 6 wordt return 0 aangeroepen. Hiermee wordt de besturing teruggegeven aan het besturingssysteem (Windows).

De functie main() eindigt op regel 7 met de accolade voor sluiten.

COMMENTAAR

Commentaar is tekst die u toevoegt om uit te leggen (aan uzelf en andere programmeurs) wat er in de programmacode gebeurt. Commentaar heeft geen effect; het is slechts bedoeld als informatie.

Er zijn twee typen commentaar in C++. Bij commentaar dat met de tekens / / begint, negeert de compiler alles tot het einde van de regel.

Bij commentaar dat met de tekens /* begint, negeert de compiler alles totdat de tekens */ worden gevonden.

FUNCTIES

main() is weliswaar een functie, maar het is een ongebruikelijke functie, omdat main() automatisch wordt gestart wanneer u het programma start. Alle andere functies worden door de programmacode aangeroepen terwijl het programma wordt uitgevoerd.

Een programma wordt regel voor regel uitgevoerd in de volgorde van de broncode, totdat er een functie wordt aangeroepen. Vervolgens voert het programma die functie uit. Wanneer de functie is voltooid, wordt de besturing teruggegeven aan de volgende regel in de aanroepende functie.

Wanneer het voor een programma is vereist dat er een service wordt verricht, wordt er een functie aangeroepen die de service uitvoert. Nadat de functie is uitgevoerd, wordt het programma hervat op het punt waar de functie werd aangeroepen.

Functies leveren een waarde of void af, waarbij het laatste betekent dat er niets wordt afgeleverd. Neem er nota van dat main() altijd het type int aflevert.

Een functie die twee gehele getallen optelt kan de som afleveren, en kan dus worden omschreven als een functie die een integer-waarde (een geheel getal) aflevert. Een functie die alleen een be-richt weergeeft, levert niets af en wordt dus declareerd als een functie die void aflevert.

Een functie bestaat uit een *header* en een *body*. De header bestaat, op zijn beurt, uit het return-type, de functienaam en de parameters voor die functie. Met de parameters voor een functie kunnen er waarden aan de functie worden doorgegeven. Als de functie twee getallen moet optellen, zouden deze getallen de parameters voor de functie zijn. Hieronder ziet u een gangbare functie-header:

```
int Sum(int a, int b)
```

Een *parameter* is een declaratie van het type waarde dat wordt inge-voerd. De eigenlijke waarde die door de aanroepende functie wordt ingevoerd heet het *argument*. Veel programmeurs hanteren deze twee termen, parameters en argumenten, alsof het synonie-men zijn.

De naam van de functie en zijn parameters (ofwel de header zon-der de return-waarde) staan bekend als de *signatuur* van de functie.

De body van een functie bestaat uit een accolade voor openen, nul of meer statements en een accolade voor sluiten. De statements vormen het mechanisme van de functie. Een functie kan met be-hulp van het statement return een waarde afleveren. Dit statement zorgt er ook voor dat de functie wordt afgesloten. Als u het state-ment return niet aan de functie toevoegt, wordt er aan het einde van de functie automatisch void afgeleverd. De waarde die wordt afgeleverd (de *return-waarde*) moet van het type zijn dat in de func-tie-header is gedeclareerd.

In programma 2.2 wordt een voorbeeld gegeven van een functie die twee parameters accepteert en een integer-waarde aflevert. U hoeft zich nog even geen zorgen te maken over de syntaxis of de manier van werken met integer-waarden. Dat onderwerp wordt later behandeld.

Programma 2.2 FUNC.CPP is een voorbeeld van een eenvoudige functie

```
1:   #include <iostream.h>
2:   int Add (int x, int y)
3:   {
4:
5:        cout << "In Add(), received " << x << "
        and " << y << "\n";
6:        return (x+y);
7:   }
8:
9:   int main()
10:  {
11:       cout << "I'm in main ()!\n";
12:       int a, b, c;
13:       cout << "Enter two numbers: ";
14:       cin >> a;
15:       cin >> b;
16:       cout << "\nCalling Add()\n";
17:       c=Add(a,b);
18:       cout << "\nBack in main().\n";
19:       cout << "c was set to " << c;
20:       cout << "\nExiting...\n\n";
21:       return 0;
22:  }
```

`Resultaat`

```
I'm in main()!
Enter two numbers: 3 5

Calling Add()
In Add(), received 3 and 5

Back in main().
c was set to 8
Exiting...
```

De functie `Add()` wordt op regel 2 gedefinieerd. `Add()` heeft twee integer-parameters en levert een integer-waarde af. Het programma zelf begint op regel 11, waar een bericht wordt afgedrukt. Het programma vraagt de gebruiker twee getallen in te voeren (regels 13 tot en met 15). De gebruiker typt twee getallen, gescheiden door een spatie, en drukt daarna op Enter. `main()` geeft de twee getallen die door de gebruiker zijn getypt op regel 17 als argumenten door aan de functie `Add()`.

De verwerking springt naar de functie `Add()`, die op regel 2 start. De parameters a en b worden afgedrukt en vervolgens bij elkaar opgeteld. Het resultaat wordt op regel 6 gegeven, waarna de functie terugkeert.

Op de regels 14 en 15 wordt het object `cin` gebruikt om een getal voor de variabelen a en b te verkrijgen, en wordt `cout` gebruikt om de variabelen naar het scherm te schrijven. Variabelen en andere aspecten van dit programma worden in de volgende lessen grondig verkend.

In deze les hebt u de onderdelen van een C++-programma, en de wijze waarop deze onderdelen samenwerken, leren kennen. U hebt ook geleerd wat een functie is en hoe u deze gebruikt.

VARIABELEN

— 3 —

In deze les leert u hoe u variabelen en constanten declareert en definieert, hoe u waarden aan variabelen toekent en deze waarden manipuleert, en hoe u de waarde van een variabele naar het scherm schrijft.

WAT IS EEN VARIABELE?

Programma's hebben behoefte aan een methode waarmee de gegevens die ze hanteren kunnen worden opgeslagen. Variabelen en constanten bieden verschillende methoden om met getallen en andere waarden te werken.

Gezien vanuit het standpunt van de programmeur is een *variabele* een locatie in het geheugen van de computer waarin u een waarde kunt opslaan die u later weer kunt ophalen.

Voor een beter begrip dient u eerst iets over de werking van het computergeheugen te weten. Het geheugen van de computer kan worden beschouwd als een reeks vakjes die in een lange rij achter elkaar staan. Elk vakje – of geheugenlocatie – is opeenvolgend genummerd. Deze nummers staan bekend als geheugenadressen.

Variabelen hebben niet alleen adressen maar ook namen. U kunt bijvoorbeeld een variabele met de naam `mijnLeeftijd` maken. Uw variabele is een label op één van de vakjes, zodat u het gemakkelijk kunt terugvinden, ook zonder dat u het geheugenadres kent.

In figuur 3.1 wordt een schematische voorstelling van dit idee weergegeven. Zoals u ziet hebben we een variabele met de naam `mijnVariabele` gedeclareerd. `mijnVariabele` begint op het geheugenadres 103.

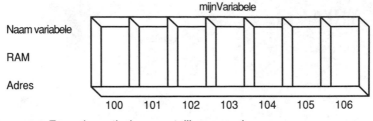

Figuur 3.1 Een schematische voorstelling van geheugen.

 RAM (Random Access Memory) Wanneer u een programma uitvoert, wordt het vanaf het bestand op de
schijf in RAM geladen. Ook alle variabelen worden in
RAM gemaakt. Wanneer programmeurs over geheugen spreken, bedoelen ze gewoonlijk RAM.

GEHEUGEN RESERVEREN

Wanneer u een variabele in C++ definieert, moet u de compiler niet
alleen vertellen wat de naam is, maar ook wat voor soort informatie de variabele bevat: integer, teken, enzovoort. Dit wordt het *type*
van de variabele genoemd. Het type van de variabele vertelt de
compiler hoeveel ruimte er in het geheugen voor de waarde van de
variabele moet worden gereserveerd.

Elk vakje is 1 byte groot. Als het type variabele dat u hebt gemaakt
2 bytes groot is, zijn er 2 bytes aan geheugen nodig, of twee vakjes.
Het type variabele (bijvoorbeeld `int`) vertelt de compiler hoeveel
geheugen (dus hoeveel vakjes) er voor de variabele moet worden
gereserveerd.

Omdat waarden in computers door bits en bytes worden voorgesteld en omdat geheugen in bytes wordt gemeten, is het van belang
dat u deze begrippen kent en ermee vertrouwd bent.

DE GROOTTE VAN INTEGERS

De variabele `char` (voor tekens) is meestal 1 byte lang. Een `short`
`int` is op de meeste computers 2 bytes, een `long int` is doorgaans 4
bytes en een `int` (zonder het gereserveerde woord `short` of `long`)
kan 2 of 4 bytes zijn. Als uw computer door Windows 95, Windows

98 of Windows NT wordt bestuurd, kunt u ervan uitgaan dat int 4 bytes is, tenzij u een verouderde compiler gebruikt.

Programma 3.1 helpt u te bepalen wat de exacte grootte van deze typen op uw computer en met uw compiler is.

Programma 3.1 Bepaalt de grootte van variabeletypen op uw computer

```
1:   #include <iostream.h>
2:
3:   int main()
4:   {
5:       cout << "The size of an int is:\t\t"
            << sizeof(int) << " bytes.\n";
6:       cout << "The size of a short int is:\t"
            << sizeof(short) << " bytes.\n";
7:       cout << "The size of a long int is:\t"
            << sizeof(long) << " bytes.\n";
8:       cout << "The size of a char is:\t\t"
            << sizeof(char) << " bytes.\n";
9:       cout << "The size of a bool is:\t\t"
            << sizeof(bool) << " bytes.\n";
10:      cout << "The size of a float is:\t\t"
            << sizeof(float) << " bytes.\n";
11:      cout << "The size of a double is:\t"
            << sizeof(double) << " bytes.\n";
12:
13:      return 0;
14:  }
```

`Resultaat`

```
The size of an int is     4 bytes
The size of a short int is 2 bytes
The size of a long int is  4 bytes
The size of a char is      1 bytes
The size of a bool is      1 bytes

The size of a float is     4 bytes
The size of a double is    8 bytes
```

SIGNED EN UNSIGNED

In aanvulling op het bovenstaande worden voor de meeste typen twee varianten onderscheiden: signed en unsigned. De gedachte hierachter is dat men soms negatieve getallen nodig heeft en soms niet. Van integers (short en long) zonder het woord 'unsigned' wordt aangenomen dat ze signed zijn. signed integers kunnen negatief of positief zijn. unsigned integers zijn altijd positief.

> **-TIP-** **Het gebruik van int voor getalsvariabelen** Bij de meeste programma's, en in de meeste gevallen, kunt u getalsvariabelen gewoon als int declareren; dat wil zeggen, als signed integer.

BASISTYPEN VAN VARIABELEN

Er is nog een aantal andere typen van variabelen in C++ ingebouwd. Ze kunnen gemakshalve worden onderverdeeld in integervariabelen (het type dat tot nu toe is besproken), zwevende komma-variabelen (floating point), en tekenvariabelen.

> **Zwevende-kommavariabelen en tekenvariabelen** Zwevende-kommavariabelen hebben waarden die in fracties kunnen worden uitgedrukt. Tekenvariabelen bevatten één byte en worden gebruikt om de 256 tekens en symbolen van de ASCII-set en de uitgebreide ASCII-set te bevatten.
>
> **De ASCII-tekenset** De verzameling tekens die voor het gebruik in computers is gestandaardiseerd. ASCII is een acroniem voor American Standard Code for Information Interchange. Bijna elk computerbesturingssysteem ondersteunt ASCII, hoewel veel computers daarnaast andere internationale tekensets ondersteunen.

De typen variabelen die in C++-programma's worden toegepast worden in tabel 3.1 beschreven. Deze tabel toont het type variabele, de hoeveelheid ruimte die het type volgens dit boek in het geheugen inneemt, en het soort waarde dat in deze variabele kan worden opgeslagen. Welke waarde in het type kan worden opgeslagen wordt door de grootte van het type variabele bepaald. Bestudeer de uitvoer van programma 3.1 dus goed.

Tabel 3.1 Typen variabelen

Type	Grootte	Waarden
unsigned short int	2 bytes	0 tot 65.535
short int	2 bytes	-32.768 tot 32.767
unsigned long int	4 bytes	0 tot 4.294.967.295
long int	4 bytes	-2.147.483.648 tot 2.147.483.647
char	1 byte	256 tekenwaarden
bool	1 byte	true of false
float	4 bytes	1,2e-38 tot 2,4e38
double	8 bytes	2,2e-308 tot 1,8e308

> **TIP** **Gebruik gewoon int** Als u een `int` maakt, hoeft u zich geen zorgen te maken over `short` en `long`. Gebruik gewoon `int`. Met een moderne compiler wordt er dan een `long int` gemaakt, wat 99% van de gevallen prima is.

DEFINITIE VAN EEN VARIABELE

U creëert, of definieert, een variabele door het type aan te geven, gevolgd door één of meer spaties, de naam van de variabele en een puntkomma. De naam van de variabele mag uit nagenoeg elke lettercombinatie bestaan, maar mag geen spaties bevatten. Geldige namen voor variabelen zijn bijvoorbeeld: `x`, `J23qrsnf` en `mijn-leeftijd`. Goede namen vertellen u waarvoor de variabelen worden gebruikt. Door zulke namen is het gemakkelijker om de uitvoering van uw programma te volgen.

HOOFDLETTERGEVOELIGHEID

C++ is *hoofdlettergevoelig*. Met andere woorden: hoofdletters en kleine letters worden als verschillende letters beschouwd. Een variabele met de naam `age` is een andere dan `Age`, die weer verschilt van `AGE`.

GERESERVEERDE WOORDEN

Sommige woorden worden door C++ gereserveerd en mogen niet als namen voor variabelen worden toegepast. Dit zijn de *keywords* waarmee de compiler een programma bestuurt. Gereserveerde woorden zijn bijvoorbeeld if, while, for en main. In de handleiding van uw compiler dient een volledige lijst te staan, maar in het algemeen is het bijna zeker dat een redelijke naam voor een variabele geen gereserveerd woord is.

MEER DAN ÉÉN VARIABELE TEGELIJKERTIJD MAKEN

U kunt meerdere variabele van hetzelfde type in één statement declareren door eerst het type en daarna de namen van de variabelen te schrijven, gescheiden door komma's. Bijvoorbeeld:

```
unsigned int mijnLeeftijd, mijnGewicht;    // twee variabelen van
                                           het type unsigned int
long oppervlakte, breedte, lengte;         // drie van het type long
```

WAARDEN AAN VARIABELEN TOEKENNEN

U kent een waarde aan een variabele toe met de assignment-operator (=). U kent 5 dus als volgt toe aan Breedte:

```
unsigned short Breedte;
Breedte = 5;
```

U kunt deze stappen ook combineren en Breedte tegelijkertijd initialiseren en definiëren:

```
unsigned short Breedte = 5;
```

CONSTANTEN

Constanten zijn net als variabelen locaties voor gegevensopslag. Variabelen zijn echter veranderlijk. Constanten zijn, zoals u misschien al hebt geraden, onveranderlijk.

U moet een constante initialiseren wanneer u deze maakt, en u kunt er later geen nieuwe waarde meer aan geven. Wanneer een constante is geïnitialiseerd, is de waarde zogezegd constant.

LETTERLIJKE CONSTANTEN

C++ kent twee typen constanten: letterlijke en symbolische constanten.

Een *letterlijke constante* is een waarde die rechtstreeks in een programma wordt getypt waar dat nodig is. Bijvoorbeeld:

```
int mijnLeeftijd = 39;
```

mijnLeeftijd is een variabele van het type int; 39 is een letterlijke constante. U kunt geen waarde aan 39 toekennen en de waarde kan niet worden gewijzigd.

SYMBOLISCHE CONSTANTEN

Een *symbolische constante* is een constante die door een naam wordt voorgesteld, net als een variabele. In tegenstelling tot een variabele kan de waarde nadat de constante is geïnitialiseerd niet worden gewijzigd.

Als zich in een programma een integer-variabele met de naam leerlingen en een andere met de naam klassen bevinden, kunt u bij een gegeven aantal klassen uitrekenen hoeveel leerlingen er zijn. Als u weet dat er 15 leerlingen in elke klas zitten:

```
leerlingen = klassen * 15;
```

 Vermenigvuldigen Een vermenigvuldiging wordt aangegeven door *.

In dit voorbeeld is 15 een letterlijke constante. De programmacode is gemakkelijker te lezen en te onderhouden als u deze waarde door een symbolische constante vervangt:

```
leerlingen = klassen * leerlingenPerKlas
```

Als u later mocht besluiten het aantal studenten in elke klas te wijzigen, kunt u dat doen op de plaats waar u de constante leerlingen-PerKlas hebt gedefinieerd, en hoeft u geen wijziging aan te brengen op alle plaatsen waar u die waarde gebruikt.

CONSTANTEN DEFINIËREN MET #define

Als u een constante op de ouderwetse, geniepige en politiek incorrecte manier wilt definiëren, voert u het volgende in:

```
#define leerlingenPerKlas 15
```

Merk op dat leerlingenPerKlas niet van een bepaald type is (int, char, enzovoort). #define voert een eenvoudige tekstsubstitutie uit. Elke keer dat de preprocessor het woord leerlingenPerKlas tegenkomt, wordt er 15 in de tekst geplaatst.

Omdat de preprocessor vóór de compiler wordt uitgevoerd, ziet de compiler de constante nooit: de compiler ziet alleen het getal 15.

CONSTANTEN DEFINIËREN MET const

Hoewel #define werkt, is er vernieuwde, verbeterde, minder dikmakende en smakelijker manier om constanten in C++ te definiëren:

```
const unsigned short int leerlingenPerKlas = 15;
```

In dit voorbeeld wordt ook een symbolische constante met de naam leerlingenPerKlas gedeclareerd, maar deze keer wordt leerlingenPerKlas als een unsigned short int ingevoerd.

Dit is meer typwerk maar biedt een aantal voordelen. Het grootste verschil is dat deze constante een type heeft, waardoor de compiler kan afdwingen dat de constante overeenkomstig het type wordt toegepast.

ENUMERATIE-CONSTANTEN

Bij enumeratie-constanten gaat het om een verzameling constanten met een zeker waardenbereik. U kunt bijvoorbeeld KLEUR als enumeratie declareren, waarbij u kunt aangeven dat er vijf waarden voor KLEUR zijn: ROOD, BLAUW, GROEN, WIT en ZWART.

De syntaxis voor enumeratie-constanten is als volgt: het woord enum, gevolgd door de typenaam, een accolade voor openen, alle geldige waarden gescheiden door een komma, en ten slotte een accolade voor sluiten en een puntkomma. Hier is een voorbeeld:

```
enum KLEUR { ROOD, BLAUW, GROEN, WIT, ZWART };
```

Dit statement verricht twee taken:

1. Het maakt KLEUR de naam van een enumeratie, dat wil zeggen: een nieuw type.

2. Het maakt ROOD een symbolische constante met de waarde 0, BLAUW een symbolische constante met de waarde 1, GROEN een symbolische constante met de waarde 2, enzovoort.

Elke enumeratie-constante heeft een integer-waarde. Tenzij u iets anders opgeeft, heeft de eerste constante de waarde 0, en begint de rest vanaf die 0 te tellen. Elke constante kan echter een bepaalde beginwaarde krijgen, waarna de constanten die niet worden geïnitialiseerd vanaf die constante beginnen te tellen. Als u dus het volgende typt,

```
enum Kleur { ROOD=100, BLAUW, GROEN=500, WIT, ZWART=700 };
```

heeft ROOD de waarde 100, BLAUW de waarde 101, GROEN de waarde 500, WIT de waarde 501 en ZWART de waarde 700.

In deze les hebt u geleerd hoe u variabelen en constanten declareert en definieert, en hoe u waarden aan deze variabelen en constanten toekent.

Statements

In deze les leert u wat statements en expressies zijn en hoe u met operatoren werkt.

Statements

Een programma is eigenlijk niets anders dan een reeks opdrachten die in een bepaalde volgorde worden uitgevoerd. Een statement bestuurt de volgorde van uitvoering, beoordeelt een expressie of doet niets (het statement null). Alle C++-statements eindigen met een puntkomma.

Een veelvoorkomend simpel statement is een toekenning:

```
x = a + b;
```

Anders dan in de wiskunde betekent dit statement niet dat x gelijk is aan a plus b. U moet dit statement lezen als: 'Wijs de waarde van de som van a en b toe aan x'. Of: 'Wijs a + b toe aan x'. Hoewel dit statement twee dingen doet, betreft het één statement, met dus maar één puntkomma. De assignment-operator kent wat er rechts staat toe aan wat er links staat.

Witruimte

Spaties, tabs en nieuwe regels worden *witruimte* genoemd. Extra witruimte wordt door de compiler meestal genegeerd. Op elke plaats waar u een spatie ziet, kunt u net zo gemakkelijk een tab of een nieuwe regel invoeren. Witruimte wordt alleen toegevoegd om een programma voor mensen leesbaarder te maken; de compiler merkt er niets van.

Het statement voor toekenning had ook als volgt kunnen worden geschreven:

```
x=a+b;
```

Of als volgt:

```
x               =a
+       b        ;
```

 Gebruik witruimte om uw programmacode leesbaar-der te maken De laatste variant is weliswaar toege-staan maar ook idioot. *Witruimte* kan worden gebruikt om uw programma's leesbaarder te maken en gemak-kelijker te onderhouden, of om lastig te ontcijferen pro-grammacode te maken. Hier geldt, zoals overal, dat C++ de mogelijkheid biedt en de beslissing neemt.

SAMENGESTELDE STATEMENTS

Op elke plaats waar u één statement kunt zetten, kunt u ook een sa-mengesteld statement (compound statement) zetten.

Hoewel elk statement in een samengesteld statement met een puntkomma moet eindigen, eindigt het samengestelde statement zelf niet met een puntkomma. Voorbeeld:

```
{
    temp = a;
    a = b;
    b = temp;
}
```

Compound-statement Een statement dat begint met een accolade voor openen ({) en eindigt met een accola-de voor sluiten (}).

Dit samengestelde statement verwisselt de waarden in de variabe-len a en b.

EXPRESSIES

In C++ is alles wat een waarde aflevert een *expressie*.

OPERATOREN

Een *operator* is een symbool dat ervoor zorgt dat de compiler in actie komt.

TOEKENNINGSOPERATOR

De *toekenningsoperator* (=) zorgt ervoor dat de waarde van de operand links van het gelijkteken wordt gewijzigd in de waarde van de operand rechts van het gelijkteken. De expressie

```
x = a + b;
```

kent de waarde die het resultaat is van de optelling van a en b toe aan de operand x.

Een operand die links van de toekenningsoperator mag staan wordt een *l-value* genoemd. Datgene wat rechts mag staan (u raadt het al) heet een *r-value*.

Constanten zijn r-values; ze kunnen geen l-values zijn. Daarom mag u wel schrijven

```
x = 35;     //ok
```

maar mag u niet schrijven

```
35 = x;     //fout, geen lvalue!
```

> **l-values en r-values** Een l-value is een operand die aan de linkerkant van een expressie mag staan. Een r-value is een operand die aan de rechterkant van een expressie mag staan. Merk op dat alle l-values r-values zijn, maar dat niet alle r-values l-values zijn. Een letterlijke constante is een voorbeeld van een r-value die geen l-value is. U mag dus wel x = 5; schrijven maar u mag niet 5 = x; schrijven.

REKENKUNDIGE OPERATOREN

Er zijn vijf rekenkundige operatoren, namelijk voor optellen (+), aftrekken (-), vermenigvuldigen (*), delen (/) en rest (%). Optellen, aftrekken en vermenigvuldigen gedragen zich min of meer zoals u zou verwachten. Dit geldt niet voor delen.

Delen met integers verloopt anders dan het alledaagse delen. Wanneer u 21 door 4 deelt, is het resultaat een gewoon getal (een getal met een breuk). Integers kennen echter geen breuken, en dus wordt de rest afgekapt. De uitkomst van 21/4 is daarom 5.

De operator % levert bij het delen met integers de restwaarde af. De uitkomst van 21 % 4 is 1, want 21/4 is 5 met een rest van 1.

Verrassend genoeg kan de operator % heel nuttig zijn. Bijvoorbeeld als u een statement wilt afdrukken bij elke 10de actie.

Het blijkt dat elk getal % 10 de uitkomst 0 geeft als dit getal een meervoud van 10 is. Dit betekent dat 20%10 nul is, en dat ook 30%10 nul is.

DE TOEKENNINGSOPERATOR COMBINEREN MET REKENKUNDIGE OPERATOREN

Het is niet ongebruikelijk dat u een waarde aan een variabele wilt toevoegen en de uitkomst daarna weer aan de variabele wilt toekennen. In C++ kunt u het volgende schrijven:

```
myAge += 2;
```

Hierdoor wordt de waarde van myAge met 2 opgehoogd.

INCREMENT EN DECREMENT

De waarde die het meest wordt opgeteld (of afgetrokken) en dan opnieuw aan een variabele wordt toegewezen is 1. In C++ heet het ophogen van een waarde met 1 *incrementeren*, en heet het verminderen van een waarde met 1 *decrementeren*. Er zijn speciale operatoren beschikbaar voor deze bewerkingen.

De increment-operator (++) hoogt de waarde van de variabele op met 1, en de decrement-operator vermindert deze waarde met 1. Als u dus een variabele, C, wilt incrementeren, gebruikt u het volgende statement:

```
C++;      //Begin met C en incrementeer.
```

PREFIX EN POSTFIX

Zowel de increment-operator (++) als de decrement-operator (–) zijn er in twee soorten: als *prefix* en als *postfix*.

> Prefix De operator wordt voor de naam van de varia-
> bele getypt (++myAge).
>
> Postfix De operator wordt achter de naam van de va-
> riabele getypt (myAge++).

In een simpel statement doet het er nauwelijks toe of u prefix of
postfix gebruikt, maar in een complex statement, waarbij u een variabele incrementeert (of decrementeert) doet het er wel degelijk
toe. Als prefix wordt de operator vóór de toekenning beoordeeld,
als postfix daarna.

De betekenis van de prefix is als volgt: incrementeer de waarde en
haal deze op. De betekenis van de postfix is anders: haal de waarde
op en incrementeer daarna de oorspronkelijke kopie.

Dit kan in het begin tot verwarring leiden. Als x een integer is
waarvan de waarde 5 is, en u schrijft

```
int a = ++x;
```

dan vraagt u de compiler x te incrementeren (waardoor de waarde
6 wordt) en de waarde vervolgens op te halen en aan a toe te kennen. Dit betekent dat a nu 6 is en dat x nu 6 is.

Als u hierna het volgende schrijft

```
int b = x++;
```

dan vraagt u de compiler de waarde in x (6) op te halen en aan b toe
te kennen, en vervolgens terug te gaan en x te incrementeren. Dit
betekent dat b nu 6 is maar dat x nu 7 is. In programma 4.1 wordt
het gebruik en de gevolgen voor beide typen weergegeven.

Programma 4.1 Operatoren als prefix en als postfix

```
1:    // Programma 4.1: Demonstreert het gebruik van
2:    // increment- en decrement-operatoren als
3:    // prefix en postfix
4:    #include <iostream.h>
5:    int main()
6:    {
7:        int myAge = 39;   // initialiseer twee integers
8:        int yourAge = 39;
```

Programma 4.1 Vervolg

```
9:      cout << "I am:\t" << myAge << "\tyears old.\n";
10:     cout << "You are:\t" << yourAge << "\tyears old.\n";
11:     myAge++;            // postfix-increment
12:     ++yourAge;          // postfix-increment
13:     cout << "One year passes...\n";
14:     cout << "I am:\t" << myAge << "\tyears old.\n";
15:     cout << "You are:\t" << yourAge << "\tyears old.\n";
16:     cout << "Another year passes...\n";
17:     cout << "I am:\t" << myAge++ << "\tyears old.\n";
18:     cout << "You are:\t" << ++yourAge << "\tyears old.\n";
19:     cout << "Let's print it again.\n";
20:     cout << "I am:\t" << myAge << "\tyears old.\n";
21:     cout << "You are:\t" << yourAge << "\tyears old.\n";
22:     return 0;
23: }
```

Resultaat

```
I am       39 years old
You are    39 years old
One year passes...
I am       40 years old
You are    40 years old
Another year passes
I am       40 years old
You are    41 years old
Let's print it again
I am       41 years old
You are    41 years old
```

Op de regels 7 en 8 worden twee integer-variabelen gedeclareerd, die elk met de beginwaarde 39 wordt geïnitialiseerd. Deze waarden worden op de regels 9 en 10 afgedrukt.

Op regel 11 wordt myAge geïncrementeerd met de increment-operator als postfix en op regel 12 wordt yourAge geïncrementeerd met de increment-operator als prefix. De uitkomsten worden afgedrukt op de regels 14 en 15, en zijn identiek (beide 40).

Op regel 17 wordt myAge met een increment-operator opgehoogd als onderdeel van het afdruk-statement. Omdat het een postfix betreft, vindt de ophoging pas na het afdrukken plaats, zodat de waarde 40 nogmaals wordt afgedrukt. Op regel 18, daarentegen, wordt yourAge opgehoogd met de increment-operator als prefix.

De variabele wordt dus opgehoogd voordat deze wordt afgedrukt en de waarde die wordt weergegeven is 41.

Ten slotte worden de waarden op de regels 20 en 21 nogmaals afgedrukt. Omdat het increment-statement nu is voltooid, is de waarde in myAge nu 41, net als de waarde in yourAge.

PRIORITEIT

Wat wordt er in het complexe statement

```
x = 5 + 3 * 8;
```

het eerst uitgevoerd, de optelling of de vermenigvuldiging? Als de optelling eerst wordt uitgevoerd, is het antwoord 8 * 8, of 64. Als de vermenigvuldiging eerst wordt uitgevoerd, is het antwoord 5 + 24, of 29.

Prioriteit Elke operator heeft een prioriteitswaarde. De volledige lijst staat in Bijlage A, 'Prioriteit van operatoren'. Vermenigvuldigen heeft een hogere prioriteit dan optellen en de waarde van de expressie is dus 29.

Wanneer twee rekenkundige operatoren dezelfde prioriteit bezitten, worden ze van links naar rechts uitgevoerd. In het voorbeeld

```
x = 5 + 3 + 8 * 9 + 6 * 4;
```

worden eerst de vermenigvuldigingen uitgevoerd, van links naar rechts: 8 * 9 = 72, en 6 * 4 = 24. Nu is de expressie in wezen de volgende optelling geworden:

```
x = 5 + 3 + 72 + 24;
```

De optelling verloopt verder als volgt (van links naar rechts): 5 + 3 = 8; 8 + 72 = 80; 80 + 24 = 104.

Wees op uw hoede! Sommige operators, zoals de toekenningsoperator, worden van rechts naar links beoordeeld! Daarnaast is het mogelijk dat de volgorde van prioriteit niet met uw behoeften overeenkomt. Bekijk de volgende expressie:

```
TotaalSeconden = AantalMinutenVoorNadenken + AantalMinutenVoorTy-
pen * 60
```

Bij deze expressie wilt u de variabele AantalMinutenVoorTypen
niet met 60 vermenigvuldigen en dan bij AantalMinutenVoorNadenken optellen. U wilt de twee variabelen bij elkaar optellen om
het totale aantal minuten te berekenen, waarna u dat getal met 60
wilt vermenigvuldigen om het totale aantal seconden te berekenen.

In dit geval past u haakjes toe om de volgorde van prioriteit te wijzigen. Items tussen haakje hebben een hogere prioriteit dan de andere rekenkundige operatoren. Met de volgende expressie bereikt
u het gewenste resultaat:

```
TotaalSeconden = (AantalMinutenVoorNadenken + AantalMinutenVoorTy-
pen) * 60
```

NESTEN VAN HAAKJES

Bij complexe expressies moet u de haakjes misschien nesten. U wilt
bijvoorbeeld eerst het totale aantal seconden berekenen en vervolgens het totale aantal betrokken mensen, voordat u de seconden
met het aantal mensen vermenigvuldigt:

```
TotaalMensSeconden = ( ( (AantalMinutenVoorNadenken + AantalMinu-
tenVoorTypen) * 60) * (MensenOpKantoor + MensenOpVakantie) )
```

Deze complexe expressie wordt van binnen naar buiten gelezen.
Eerst wordt AantalMinutenVoorNadenken opgeteld bij AantalMinutenVoorTypen, omdat dit tussen de binnenste haakjes staat. Daarna
wordt deze som vermenigvuldigd met 60. Vervolgens wordt Men-
senOpKantoor opgeteld bij MensenOpVakantie. Ten slotte wordt het
totale aantal mensen vermenigvuldigd met het totale aantal seconden.

Dit voorbeeld brengt een belangrijke kwestie voor het voetlicht.
Deze expressie kan gemakkelijk door een computer worden begrepen, maar is voor een mens lastig te lezen, begrijpen of wijzigen.
Hieronder is dezelfde expressie herschreven met behulp van enkele tijdelijke variabelen van het type int.

```
TotaalMinuten = AantalMinutenVoorNadenken + AantalMinu-
tenVoorTypen;

TotalSeconds = TotaalMinuten * 60;

TotaalMensen = MensenOpKantoor + MensenOpVakantie;

TotaalMensSeconden = TotaalMensen * TotaalSeconden;
```

Het duurt langer om dit voorbeeld te schrijven en er zijn meer tijdelijke variabelen nodig dan in het vorige voorbeeld, maar het is veel gemakkelijker te begrijpen. Voeg bovenaan commentaar toe dat verklaart wat deze programmacode doet en wijzig 60 in een symbolische constante. U hebt dan programmacode die eenvoudig te begrijpen en onderhouden is.

WAAR OF NIET WAAR

In voorgaande versies van C++ werd alle waarheid en onwaarheid door gehele getallen voorgesteld, maar met de nieuwe ISO/ANSI-norm wordt er een nieuw type geïntroduceerd: bool. Dit nieuwe type kent twee mogelijke waarden: false en true.

Elke expressie kan op waarheid of onwaarheid worden beoordeeld. Expressies die rekenkundig gezien nul opleveren, geven de uitkomst false; alle andere geven de uitkomst true.

RELATIONELE OPERATOREN

Met relationele operatoren wordt vastgesteld of twee getallen gelijk zijn, of dat een getal groter of kleiner dan het andere is. Elke relationele expressie levert true of false op. Relationele operatoren worden in tabel 4.1 weergegeven.

Er zijn zes relationele operatoren: gelijk aan (==), kleiner dan (<), groter dan (>), kleiner dan of gelijk aan (<=), groter dan of gelijk aan (>=) en niet gelijk aan (!=). In tabel 4.1 wordt elke relationele operator, het gebruik en een voorbeeld getoond.

TABEL 4.1 RELATIONELE OPERATOREN

NAAM	OPERATOR	VOORBEELD	BEOORDELING
Gelijk aan	==	100 == 50;	false
		50 == 50;	true
Niet gelijk aan	!=	100 != 50;	true
		50 != 50	false

TABEL 4.1 RELATIONELE OPERATOREN (VERVOLG)

NAAM	OPERATOR	VOORBEELD	BEOORDELING
Groter dan	>	100 > 50;	true
		50 > 50;	false
Groter dan of gelijk aan	>=	100 >= 50;	true
		50 >= 50;	true
Kleiner dan	<	100 < 50;	false
		50 < 50;	false
Kleiner dan of gelijk aan	<=	100 <= 50;	false
		50 <= 50;	true

In deze les hebt u geleerd wat statements zijn, wat expressies zijn en hoe u met operatoren werkt.

HET if-
STATEMENT

HET if-STATEMENT

Normaal wordt een programma regel voor regel uitgevoerd in de volgorde van de programmacode. Het komt echter voor dat u een actie wilt uitvoeren als er aan een bepaalde voorwaarde wordt voldaan, en een andere actie wilt uitvoeren als daar niet aan wordt voldaan.

Met het if-statement kunt u controleren of er aan een bepaalde voorwaarde wordt voldaan (bijvoorbeeld of twee variabelen aan elkaar gelijk zijn) en vervolgens, afhankelijk van de uitkomst, naar andere gedeelten van de programmacode springen.

De eenvoudigste vorm van een if-statement is als volgt:

```
if (expressie)
   statement;
```

De expressie tussen haakjes kan elke willekeurige expressie zijn, maar bevat gewoonlijk een relationele expressie. Als de expressie onwaar is, wordt het statement overgeslagen. Bekijk het volgende voorbeeld:

```
if (grootGetal > kleinGetal)
   grootGetal = kleinGetal;
```

Met de programmacode worden grootGetal en kleinGetal met elkaar vergeleken. Als grootGetal groter is, krijgt de waarde van grootGetal op de tweede regel de waarde van kleinGetal.

DE BEPALING else

Vaak is het de bedoeling dat het programma naar een bepaald gedeelte springt als er aan de voorwaarde wordt voldaan, en naar een ander gedeelte als er niet aan de voorwaarde wordt voldaan.

De methode die u tot nu toe hebt gezien, waarbij eerst de ene voorwaarde en vervolgens de andere op waarheid wordt getoetst, functioneert prima maar is een tikje lastig. Met else kunt u veel leesbaarder programmacode schrijven:

```
if (expressie)
    statement;
else
    statement;
```

GEAVANCEERDE if-STATEMENTS

Het kan geen kwaad op te merken dat in een if- of else-bepaling
elk statement mag worden toegepast, zelfs een ander if- of else-
statement. U kunt daarom complexe if-statements met de volgende vorm tegenkomen:

```
if (expressie1)
{
    if (expressie2)
        statement1;
    else
    {
        if (expressie3)
            statement2;
        else
            statement3;
    }
}
else
    statement4;
```

Dit lastige if-statement moet als volgt worden gelezen: 'Als ex-
pressie1 **waar is** en expressie2 **waar is**, wordt statement1 uitgevoerd. Als expressie1 **waar is** en expressie2 **onwaar is**, en ook ex-
pressie3 **waar is**, wordt statement2 uitgevoerd. Als expressie1
waar is maar expressie2 en expressie3 **onwaar zijn**, wordt sta-

tement3 uitgevoerd. Ten slotte wordt als expressie1 onwaar is statement4 uitgevoerd.' Zoals u ziet kunnen complexe if-statements verwarrend zijn!

ACCOLADES IN GENESTE if-STATEMENTS TOEPASSEN

U mag de accolades in enkelvoudige if-statements weglaten en het is toegestaan om if-statements te nesten, zoals hier:

```
if (x > y)     // als x groter is dan y
  if (x < z)   // en als x kleiner is dan z
    x = y;     // krijgt x de waarde van y
```

Dit kan bij grote geneste statements echter tot grote verwarring leiden.

> **Wees zorgvuldig met if-statements** Wit en inspringen zijn er voor het gemak van de programmeur; de compiler heeft er niets aan. U kunt gemakkelijk in de war raken, zodat u per ongeluk een else-statement aan het verkeerde if-statement toekent.

In programma 5.1 ziet u een voorbeeld van een complex if-statement.

Programma 5.1 Een complex, genest if-statement

```
1:  // Programma 5.1: Een complex, genest
2:  // if-statement
3:  #include <iostream.h>
4:  int main()
5:  {
6:      // Vraag naar twee getallen
7:      // Ken de getallen toe aan bigNumber en littleNumber
8:      // Als bigNumber groter is dan littleNumber,
9:      // gaat u na of ze op elkaar deelbaar zijn
10:     // Als dat zo is, gaat u na of ze hetzelfde getal zijn
11:
12:     int firstNumber, secondNumber;
13:     cout << "Enter two numbers.\nFirst: ";
14:     cin >> firstNumber;
15:     cout <<" \nSecond: ";
16:     cin >> secondNumber;
```

Programma 5.1 Vervolg

```
17:    cout << "\n\n";
18:
19:    if (firstNumber >= secondNumber)
20:    {
21:      if ( (firstNumber % secondNumber) == 0)
22:      {
23:          if (firstNumber == secondNumber)
24:              cout << "They are the same!\n";
25:          else
26:              cout << "They are evenly divisible!\n";
27:      }
28:      else
29:          cout << "They are not evenly divisible!\n";
30:    }
31:    else
32:      cout << "Hey! The second one is larger!\n";
33:    return 0;
34: }
```

Resultaat

```
Enter two numbers.
First: 10
Second: 2
They are evenly divisible!
```

Er wordt om twee getallen gevraagd, die vervolgens worden vergeleken. Het eerste if-statement op regel 19 gaat na of het eerste getal groter dan of gelijk is aan het tweede. Als dit niet zo is, wordt else op regel 31 uitgevoerd.

Als de eerste if waar is, wordt het blok programmacode dat op regel 20 begint uitgevoerd en wordt het tweede if-statement op regel 21 getoetst. Dit if-statement gaat na of het eerste getal gedeeld door het tweede getal een rest oplevert. Als dat niet het geval is, is het eerste getal deelbaar door het tweede getal of zijn de getallen gelijk aan elkaar. Het if-statement op regel 23 gaat na of de getallen gelijk zijn en geeft het juiste bericht weer.

Als het if-statement op regel 21 onwaar is (en er dus een rest is), wordt het else-statement op regel 28 uitgevoerd.

LOGISCHE OPERATOREN

Vaak wilt u gelijktijdig meer dan één relationele vraag stellen: 'Is het waar dat x groter is dan y, en is het ook waar dat y groter is dan z?' Het is mogelijk dat een programma moet bepalen of er aan deze beide voorwaarden wordt voldaan, of dat er juist aan een andere voorwaarde wordt voldaan, voordat actie kan worden ondernomen.

Stelt u zich eens een geavanceerd alarmsysteem met de volgende logica voor: 'Als het deuralarm afgaat EN het is na zes uur 's middags EN het is GEEN feestdag, OF het is een weekeinde, dan moet de politie worden gebeld. Met de drie logische operatoren van C++ kunnen dit soort beoordelingen worden verricht. Deze operatoren worden in tabel 5.1 vermeld.

TABEL 5.1 DE LOGISCHE OPERATOREN

OPERATOR	SYMBOOL	VOORBEELD
AND expressie2	&&	expressie1 && expressie2
OR expressie2	||	expressie1 || expressie2
NOT	!	!expressie

LOGISCHE AND-BEWERKING

Een logisch AND-statement beoordeelt twee expressies. Als beide expressies waar zijn, is ook het logische AND-statement waar. Als het waar is dat u honger hebt, EN het is waar dat u geld hebt, DAN is het waar dat u kunt lunchen. De expressie

```
if ( (x == 5) && (y == 5) )
```

wordt dus als waar beoordeeld als zowel x als y gelijk zijn aan 5, en wordt als onwaar beoordeeld als een van beide niet gelijk is aan 5. Merk op dat beide zijden van de expressie waar moeten zijn om de volledige expressie waar te laten zijn.

Neem er nota van dat de logische AND-bewerking door twee &-symbolen wordt voorgesteld.

LOGISCHE OR-BEWERKING

Een logisch OR-statement beoordeelt twee expressies. Als één van beide waar is, is de expressie waar. Als u geld hebt OF een creditcard, kunt u de rekening betalen. U hebt niet zowel geld als een creditcard nodig; u hebt maar één van beide nodig, hoewel het ook prima is als u beide hebt. De expressie

```
if ( (x == 5) || (y == 5) )
```

wordt als waar beoordeeld als x of y gelijk is aan 5, of als beide gelijk zijn aan 5. Als x gelijk is aan 5, zal de compiler y niet eens meer controleren!

Neem er nota van dat de logische OR-bewerking door twee |-symbolen wordt voorgesteld.

LOGISCHE NOT-BEWERKING

Een logisch NOT-statement wordt als waar beoordeeld als de getoetste expressie onwaar is. Nogmaals: als de getoetste expressie onwaar is, wordt er aan de voorwaarde voldaan! De expressie

```
if ( !(x == 5) )
```

is alleen waar als x niet gelijk is aan 5. U kunt daarom ook het volgende schrijven:

```
if (x != 5)
```

In deze les hebt u geleerd hoe u het if-statement gebruikt, en hoe u met relationele operatoren twee waarden vergelijkt.

FUNCTIES

In deze les leert u wat een functie is en welke onderdelen een functie bezit, hoe u functies declareert en definieert, hoe u parameters aan functies door- geeft, en hoe u een functiewaarde aflevert.

WAT IS EEN FUNCTIE?

Wanneer men over C++ spreekt, gaat het meestal over objecten. Objecten steunen echter op functies om het werk uit te voeren. Een *functie* is in feite een deelprogramma dat gegevens beïnvloedt en een waarde aflevert. Elk C++-programma kent ten minste één functie, main(). Wanneer een programma start, wordt main() auto- matisch aangeroepen. main() kan andere functies aanroepen, die eventueel weer andere kunnen aanroepen.

Elke functie heeft een naam, en wanneer die naam wordt aange- troffen, springt het programma naar de body van de functie. Wan- neer de functie terugkeert, wordt de uitvoering hervat op de vol- gende regel van de aanroepende functie. Deze gang van zaken wordt weergegeven in figuur 6.1.

Een goed ontworpen functie verricht een bepaalde taak. Dat wil zeggen dat de functie één ding doet, en dat de uitvoering van het programma vervolgens wordt hervat.

Ingewikkelde taken dienen in een aantal functies te worden ge- splitst, die elk op hun beurt kunnen worden aangeroepen. Hier- door wordt de programmacode gemakkelijker te begrijpen en te onderhouden.

Programma

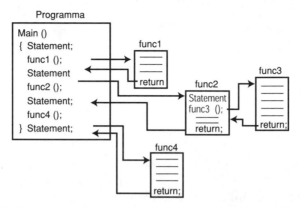

Figuur 6.1 Wanneer een programma een functie aanroept, springt de uitvoering naar de functie en wordt daarna hervat op de regel na de functie-aanroep

FUNCTIES DECLAREREN EN DEFINIËREN

Voordat u een functie kunt gebruiken, moet u deze eerst *declareren* en vervolgens *definiëren*.

Een functiedeclaratie, of functieprototype, is een statement en eindigt dus met een puntkomma. De declaratie bestaat uit het returntype, de naam en de parameterlijst van de functie. In figuur 6.2 worden de onderdelen van het functiemodel weergegeven.

De definitie van een functie bestaat uit een header en een body. De header ziet er precies zo uit als het functieprototype, behalve dat de parameters een naam moeten hebben en er geen afsluitende puntkomma is.

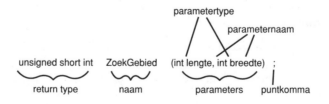

Figuur 6.2 De onderdelen van een functieprototype

> **Parameters of argumenten?** De waarden die in een functie worden ingevoerd staan bekend als de argumenten van de functie. Argumenten zijn er in twee soorten: formeel en actueel. Formele argumenten worden ook wel parameters genoemd. Actuele argumenten zijn de waarden die worden ingevoerd op het moment dat de procedure wordt aangeroepen. De meeste programmeurs gebruiken de termen parameters en argumenten door elkaar.

De body van een functie is een reeks statements die tussen accolades staan. In figuur 6.3 worden de header en de body van een functie afgebeeld.

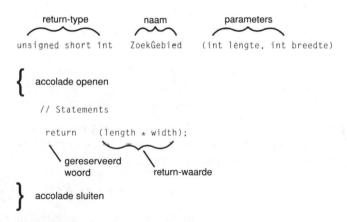

Figuur 6.3 De header en body van een functie

LOKALE VARIABELEN

U kunt variabelen niet alleen aan de functie doorgeven maar ook in de body van de functie declareren. Hiervoor worden *lokale variabelen* toegepast.

Variabelen die buiten een functie zijn gedefinieerd hebben een *globaal bereik* en zijn daarom vanuit elke willekeurige functie in het programma beschikbaar, met inbegrip van `main()`. In C++ worden algemene variabelen vermeden, omdat ze tot zeer verwarrende programmacode leiden, die moeilijk is te onderhouden.

Lokale variabelen Variabelen die alleen lokaal in de functie bestaan. Wanneer de functie een resultaat heeft afgegeven, zijn de lokale variabelen niet langer beschikbaar.

FUNCTIE-STATEMENTS

Er is nagenoeg geen grens aan het aantal typen statements dat zich in de body van een functie kan bevinden.

Anderzijds zijn goed ontworpen functies meestal klein. Het overgrote deel van de functies bestaat uit slechts enkele regels programmacode.

FUNCTIE-ARGUMENTEN

Functie-argumenten hoeven niet allemaal van hetzelfde type te zijn. Er is niets op tegen als u een functie schrijft die een integer, twee van het type `long` en een teken als argumenten accepteert.

Elke geldige C++-expressie mag een functie-argument zijn, met inbegrip van constanten, rekenkundige en logische expressies, en andere functies die een waarde retourneren.

FUNCTIES ALS PARAMETERS VOOR FUNCTIES GEBRUIKEN

Hoewel het is toegestaan een functie toe te passen waarbij de afgeleverde waarde een parameter voor een andere functie is, kan dit tot programmacode leiden die lastig is te lezen en waarin fouten moeilijk zijn op te sporen.

Stel bij wijze van voorbeeld dat u de functies `dubbel()`, `driedubbel()`, `kwadraat()` en `derdemacht()` hebt, die allemaal een waarde afleveren. U kunt dan het volgende schrijven:

```
Antwoord = (dubbel(driedubbel(kwadraat(derdemacht(mijnWaarde)))));
```

Dit statement heeft een variabele, `mijnWaarde`, en geeft deze als een argument door aan de functie `derdemacht()`, waarvan de returnwaarde als een argument aan de functie `kwadraat()` wordt doorgegeven, waarvan de return-waarde weer aan de functie `driedub-`

bel() wordt doorgegeven, welke return-waarde weer aan dub-
bel() wordt doorgegeven. De uiteindelijke waarde van dit ver-
dubbelde, verdriedubbelde, tot de tweede en derde macht verheven getal wordt vervolgens aan Antwoord doorgegeven.

Het is moeilijk te bepalen wat deze programmacode doet. (Is de
waarde verdriedubbeld voordat of nadat het tot de tweede macht
is verheven?) Als het antwoord fout is, is het moeilijk te bepalen in
welke functie de fout zit.

Een alternatief is elke stap aan een tussenliggende variabele toekennen:

```
unsigned long mijnWaarde = 2;
unsigned long derdemacht = derdemacht(mijnWaarde);// derdemacht = 8
unsigned long kwadraat = kwadraat(derdemacht); // kwadraat = 64
unsigned long driedubbel = driedubbel(kwadraat);// driedubbel = 192
unsigned long Antwoord = dubbel(driedubbel); // Antwoord = 384
```

Nu kan elk tussenliggend resultaat worden bestudeerd en is de
volgorde van uitvoering duidelijk.

PARAMETERS ZIJN LOKALE VARIABELEN

De argumenten die in een functie worden ingevoerd zijn beperkt
tot de functie. Eventuele in de argumenten aangebrachte wijzigingen hebben geen invloed op de aanroepende functie. Dit staat bekend als doorgeven als waarde (*passing by value*), wat inhoudt dat
er een lokale kopie van elk argument wordt gemaakt. Deze lokale
kopieën worden op dezelfde manier behandeld als andere lokale
variabelen. Programma 6.1 verduidelijkt dit punt.

Programma 6.1 Een voorbeeld van doorgeven als waarde

```
1:    // Programma 6.1: Een voorbeeld van doorgeven als waarde
2:
3:    #include <iostream.h>
4:
5:    void swap(int x, int y);
6:
7:    int main()
8:    {
9:        int x = 5, y = 10;
10:
```

Programma 6.1 (vervolg)

```
11:        cout << " Main. Before swap, x: "  ;
12:        cout << x << "  y: "  << y << " \n" ;
13:        swap(x,y);
14:        cout << " Main. After swap, x: "  << x ;
15:          cout << "  y: "  << y << " \n" ;
16:        return 0;
17: }
18:
19: void swap (int x, int y)
20: {
21:        int temp;
22:
23:        cout << " Swap. Before swap, x: ";
24:          cout << x << "  y: "  << y < " \n" ;
25:
26:        temp = x;
27:        x = y;
28:        y = temp;
29:
30:        cout << " Swap. After swap, x: ";
31:          cout << x << "  y: "  << y << " \n" ;
32:
33: }
```

`Resultaat`

```
Main. Before swap. x: 5 y: 10
Swap. After swap. x: 5 y: 10
Swap. Before swap. x: 10 y: 5
Main. After swap. x: 5 y: 10
```

In dit programma worden twee variabelen in main() geïnitialiseerd, die daarna aan de functie swap() worden doorgegeven, waar ze schijnbaar worden verwisseld. Wanneer ze echter weer in main() worden onderzocht, blijken ze onveranderd!

De variabelen worden op regel 9 geïnitialiseerd, en hun waarden worden op regel 11 weergegeven. swap() wordt aangeroepen en de variabelen worden ingevoerd.

De uitvoering van het programma schakelt over naar de functie swap(), waarna de waarden op regel 23 opnieuw worden afgedrukt. Zoals verwacht staan ze in dezelfde volgorde als in main(). Op de regels 26 t/m 28 worden de waarden verwisseld. Dit wordt bevestigd door de afdruk op regel 30. In de functie swap() zijn de waarden inderdaad omgewisseld.

De uitvoering keert vervolgens terug naar regel 14, naar main(), waar de waarden niet langer blijken te zijn verwisseld.

Zoals u zult hebben begrepen zijn de waarden die in de functie swap() worden ingevoerd kopieën die beperkt zijn tot swap(). Deze lokale variabelen worden verwisseld in de regels 26 t/m 28, maar de variabelen in main() worden daar niet door beïnvloed.

Verderop in dit boek zult u alternatieven tegenkomen die het mogelijk maken de waarden in main() toch te veranderen.

Return-waarden

Functies leveren een waarde of void af. void is een signaal aan de compiler dat er geen waarde wordt afgeleverd.

Om een waarde van een functie af te leveren, typt u het gereserveerde woord return, gevolgd door de waarde die u wilt afleveren. De waarde mag zelf een expressie zijn die een waarde aflevert. Voorbeeld:

```
return 5;
return (x > 5);
return (MijnFunctie());
```

Dit zijn alledrie geldige return-statements, als ten minste wordt aangenomen dat de functie MijnFunctie() een waarde aflevert. De waarde in het tweede statement, return (x > 5), is nul als x kleiner is dan 5, of de waarde is 1. De uitkomst is de waarde van de expressie (*false* of *true*); niet de waarde van x.

Wanneer het woord return wordt aangetroffen, wordt de expressie die na return staat afgeleverd als de waarde van de functie. De uitvoering van het programma keert onmiddellijk terug naar de aanroepende functie, en eventuele andere statements die nog na return staan worden niet uitgevoerd.

Het is toegestaan meer dan één return-statement in een functie te hebben staan. U dient echter in gedachten te houden dat de functie eindigt zodra er een return-statement is uitgevoerd.

STANDAARDPARAMETERS

Bij elke parameter die u in een functieprototype en in een definitie declareert, moet de aanroepende functie een waarde doorgeven, tenzij u een standaardwaarde definieert. Een standaardwaarde is een waarde die kan worden gebruikt als er geen andere is opgegeven. U kunt dus het volgende typen:

```
long mijnFunctie (int x = 50);
```

Dit prototype wil zoveel zeggen als: 'mijnFunctie() levert een long af en accepteert een integer-parameter. Als er niet in een argument is voorzien, wordt de standaardwaarde 50 gebruikt.'

De functiedefinitie wordt niet gewijzigd als er een standaardparameter wordt gedeclareerd. De functiedefinitie-header voor deze functie is:

```
long mijnFunctie (int x)
```

Als de aanroepende functie geen parameter heeft opgegeven, vult de compiler de standaardwaarde 50 voor x in.

Aan alle parameters van de functie kunnen standaardwaarden worden toegekend. De enige beperking is deze: als een parameter een standaardwaarde heeft, moeten alle volgende parameters ook standaardwaarden hebben.

Als het functieprototype er zo uitziet

```
long mijnFunctie (int Param2, int Param2, int Param3);
```

kunt u alleen een standaardwaarde aan Param2 toekennen als u ook een standaardwaarde aan Param3 hebt toegewezen. U kunt alleen een standaardwaarde aan Param1 toekennen als u zowel aan Param2 als Param3 standaardwaarden hebt toegewezen.

OVERLOADING

In C++ kunt u meer dan één functie met dezelfde naam creëren. Dit staat bekend als functie-overloading. De parameters van de functies moeten wel verschillen in aantal of type, of beide. Hier is een voorbeeld:

```
int mijnFunctie (int, int);
int mijnFunctie (long, long);
int mijnFunctie (long);
```

mijnFunctie() kent drie verschillende parameterlijsten. De eerste
en de tweede versie verschillen door het type parameter, en de derde versie verschilt door het aantal parameters. Dit is een nuttige
techniek, die u in staat stelt mijnFunctie() aan te roepen en ge-
schikte parameters in te voeren, zonder dat u drie verschillende
functienamen hoeft te onthouden.

Bij verschillende functies met dezelfde naam kunnen de return-ty-
pen gelijk of verschillend zijn, zolang de parameters maar verschillend zijn. U kunt echter geen *overloading* toepassen als alleen de re-
turn-typen verschillend zijn.

In deze les hebt u geleerd hoe functies declareert en definieert en
hoe u parameters invoert. U hebt ook geleerd over return-waarden
van functies en overloading.

KLASSEN

In deze les leert u wat klassen en objecten zijn, en hoe u een nieuwe klasse en objecten van die klasse definieert. Klassen vormen een uitbreiding van de ingebouwde mogelijkheden van C++, zodat u ingewikkelde problemen uit de dagelijkse praktijk kunt nabootsen en oplossen.

NIEUWE TYPEN MAKEN

Het type variabele geeft aan hoe groot de variabele is en wat de mogelijkheden van het object zijn. Zo kunnen integers bijvoorbeeld bij elkaar worden opgeteld. Door `Hoogte` en `Breedte` als integers te declareren, weet u dat het mogelijk is `Hoogte` en `Breedte` bij elkaar op te tellen en dat getal aan een ander getal toe te kennen.

Een *type* is een categorie. Bekende typen komen voor bij auto's, huizen, personen en vormen. In C++ is een type een object met een bepaalde grootte, een status en een reeks vermogens.

Een C++-programmeur kan elk noodzakelijk type maken. Elk van deze nieuwe typen kan over de functionaliteit en de doeltreffendheid van de ingebouwde typen beschikken.

WAAROM ZOU U EEN NIEUW TYPE MAKEN?

Programma's worden doorgaans geschreven om problemen uit de praktijk op te lossen, bijvoorbeeld om de gegevens van werknemers bij te houden of de werking van een verwarmingssysteem te simuleren. Hoewel het mogelijk is deze problemen op te lossen met behulp van programma's met alleen integers en tekens, is het veel gemakkelijk de objecten waar het over gaat te symboliseren. Het is, met andere woorden, gemakkelijker de werking van een verwarmingssysteem te simuleren als u variabelen kunt maken die kamers, warmtevoelers, thermostaten en boilers vertegenwoordigen.

Hoe dichter deze variabelen bij de realiteit staan, hoe eenvoudiger het is een programma te schrijven.

KLASSEN EN LEDEN

U maakt een nieuw type door een klasse te declareren. Een *klasse* is gewoon een verzameling variabelen – vaak van verschillende typen – die met een reeks bijbehorende functies worden gecombineerd.

De clients van een klasse zijn andere klassen of functies die een klasse gebruiken. Door middel van *inkapseling* kunnen de clients van een klasse deze gebruiken zonder dat ze hoeven te weten hoe deze werkt. Ze hoeven alleen te weten wat de klasse doet, niet hoe deze iets doet.

> **Inkapseling** Het samenbundelen van de informatie, mogelijkheden en verantwoordelijkheden van een entiteit in één object.

Een klasse kan uit elke willekeurige combinatie van variabeletypen, en ook andere klassetypen, bestaan. De variabelen in de klasse staan bekend als *lidvariabelen* (member variables) of *dataleden* (data members).

De functies in de klasse manipuleren gewoonlijk de lidvariabelen. Deze functies worden de *lidfuncties* (member functions) of de *methoden* (methods) van de klasse genoemd.

EEN KLASSE DECLAREREN

Om een klasse te declareren, past u het gereserveerde woord `class` toe, gevolgd door een accolade voor openen. Daarna geeft u de dataleden en methoden van die klasse op. Beëindig de declaratie met een accolade voor sluiten en een puntkomma. Hier is een declaratie voor een klasse met de naam `Cat`:

```
class Cat
{
public:
    unsigned int    itsAge;
    unsigned int    itsWeight;
    Meow();
};
```

Met de declaratie van deze klasse wordt geen geheugen voor een Cat toegekend. De declaratie vertelt de compiler alleen wat een Cat is, welke gegevens deze bevat (itsAge en itsWeight), en wat deze kan doen (Meow()). De declaratie vertelt de compiler ook wat de grootte van een Cat is; dat wil zeggen hoeveel ruimte de compiler moet reserveren voor elke Cat die u maakt. Als een integer in dit voorbeeld 4 bytes is, is een Cat slechts 8 bytes groot: itsAge is 4 bytes en itsWeight is nog eens 4 bytes. Meow() neemt geen ruimte in, omdat er geen opslagruimte voor lidfuncties (methoden) wordt gereserveerd.

DEFINITIE VAN EEN OBJECT

U definieert een object van een nieuw type op dezelfde manier als u een integer-variabele definieert:

```
unsigned int BrutoGewicht;      // definieer een unsigned integer
Cat Frisky                       // definieer een Cat
```

Een object is gewoon een afzonderlijke instantie van een klasse.

TOEGANG TOT KLASSELEDEN KRIJGEN

Wanneer u daadwerkelijk een Cat-object hebt gedefinieerd (bijvoorbeeld Frisky), gebruikt u de punt-operator (.) om toegang tot de leden van dat object te krijgen. Om 50 aan de lidvariabele itsWeight van Frisky toe te kennen, schrijft u daarom:

```
Frisky.itsWeight = 50;
```

Op dezelfde manier schrijft u het volgende om de functie Meow() aan te roepen:

```
Frisky.Meow();
```

PRIVATE EN PUBLIC

Er worden andere gereserveerde woorden bij de declaratie van een klasse gehanteerd. Twee van de meest belangrijke zijn public en private.

Alle leden van een klasse – dataleden en methoden – zijn standaard *private*. Private leden zijn alleen toegankelijk binnen de methoden van de klasse zelf. *Public* leden zijn toegankelijk via elk object van de klasse. Dit onderscheid is zowel belangrijk als verwarrend. Om het iets duidelijker te maken bekijken we het voorbeeld dat eerder in dit hoofdstuk is gebruikt nog eens:

```
class Cat
{
   unsigned int   itsAge;
   unsigned int   istWeight;
   Meow()
};
```

In deze declaratie zijn itsAge, itsWeight en Meow() alledrie private, omdat alle leden van een klasse standaard private zijn. Dit houdt in dat ze private zijn, tenzij u iets anders opgeeft.

Als u echter schrijft

```
Cat Boots;
Boots.itsAge=5;   // fout! private data is niet toegankelijk!
```

markeert de compiler dit als een fout. U hebt de compiler in feite het volgende verteld: 'Ik wil alleen toegang tot itsAge, itsWeight en Meow() vanuit de lidfuncties van de klasse Cat.' Hier hebt u echter toegang gezocht van buiten een Cat-methode. Hoewel Boots een object is van de klasse Cat, wil dat nog niet zeggen dat u toegang hebt tot de private delen van Boots.

Als u Cat zo wilt gebruiken dat u toegang tot de dataleden hebt, kunt u declareren dat een gedeelte van de declaratie van Cat public is.

```
class Cat
{
public:
   unsigned int   itsAge;
   unsigned int   itsWeight;
   Meow();
};
```

Nu zijn itsAge, itsWeight en Meow() alledrie openbaar.
Boots.itsAge=5 kan nu zonder problemen worden gecompileerd.

MAAK LIDGEGEVENS PRIVATE

Het is een algemene ontwerpregel dat u de lidgegevens van een klasse private houdt en methoden schrijft die public zijn om hun waarde in te stellen (*set*) en op te halen (*get*). Deze methoden worden vaak *accessor-methoden* genoemd.

KLASSEMETHODEN IMPLEMENTEREN

Elke klassemethode die u declareert moet ook worden gedefinieerd.

De *functiedefinitie* van een lid begint met de naam van de klasse, gevolgd door twee dubbele punten, de naam van de functie en de parameters van de functie. In programma 7.1 ziet u de volledige declaratie voor de eenvoudige klasse Cat, de implementatie van de accessor-functie en één algemene lidfunctie voor de klasse.

Programma 7.1   De methoden voor een eenvoudige klasse implementatie

```
1:   // Demonstreert de declaratie van een klasse en
2:   // de definitie van klassemethoden
3:
4:   #include <iostream.h>  // voor cout
5:
6:   class Cat           // begin declaratie van een klasse
7:   {
8:   public:             // begin public gedeelte
9:       int GetAge();   // accessor-functie
10:      void SetAge (int age); // accessor-functie
11:      void Meow();    // algemene functie
12:  private:            // begin private gedeelte
13:      int itsAge;     // lidvariable
14:  };
15:
16:  // GetAge, public accessor-functie
17:  // levert waarde van lid itsAge af
18:  int Cat::GetAge()
19:  {
```

Programma 7.1 Vervolg

```
20:     return itsAge;
21:  }
22:
23:  // definitie van SetAge, public
24:  // accessor-functie
25:  // return stelt lid itsAge in
26:  void Cat::SetAge(int age)
27:  {
28:      // stelt lidvariabele itsAge in op
29:      // waarde doorgegeven door parameter age
30:      itsAge = age;
31:  }
32:
33:  // definitie van methode Meow
34:  // levert void af
35:  // parameters: Geen
36:  // actie: drukt "meow" af op het scherm
37:  void Cat::Meow()
38:  {
39:      cout < "Meow.\n";
40:  }
41:
42:  // maak een kat, stel zijn leeftijd in, laat hem
43:  // miauwen, vertel ons zijn leeftijd, miauw opnieuw.
44:  int main()
45:  {
46:      Cat Frisky;
47:      Frisky.SetAge(5);
48:      Frisky.Meow();
49:      cout < "Frisky is a cat who is " ;
50:      cout < Frisky.GetAge() << " years old is.\n";
51:      Frisky.Meow();
52:      return 0;
53:  }
```

Resultaat

```
Meow.
Frisky is a cat who is 5 years old.
Meow.
```

De regels 6 t/m 14 bevatten de definitie van de klasse Cat. Regel 8 bevat het gereserveerde woord public, dat de compiler vertelt dat de volgende leden public zijn. Op regel 9 staat de declaratie van de accessor-methode GetAge(). Deze geeft toegang tot de private lidvariabele itsAge, die op regel 13 is gedeclareerd. Op regel 10 staat de public accessor-functie SetAge(); deze accepteert een integer als argument en stelt itsAge in op de waarde van dat argument.

Op regel 12 begint het private gedeelte, waarin alleen de declaratie van de private lidvariabele itsAge is opgenomen. De klassedeclaratie wordt op regel 14 beëindigd met een afsluitende accolade en een puntkomma.

De regels 18 t/m 21 bevatten de definitie van de lidfunctie GetAge(). Deze methode accepteert geen parameters; er wordt een integer afgeleverd. Merk op dat een klassemethode bestaat uit de naam van de klasse, gevolgd door twee dubbele punten en de naam van de functie (regel 18). Deze syntaxis vertelt de compiler dat de functie GetAge() die u hier definieert, dezelfde is als de functie die u in de klasse Cat hebt gedeclareerd. Afgezien van deze header-regel wordt de functie GetAge() als elke andere functie geconstrueerd.

De functie GetAge() heeft maar één regel nodig, en levert de waarde in itsAge af. Merk op dat de functie main() geen toegang tot itsAge heeft, omdat itsAge private is voor de klasse Cat. De functie main() heeft toegang tot de methode GetAge(), die public is. Omdat GetAge() een lidfunctie van de klasse Cat is, heeft GetAge() volledige toegang tot de variabele itsAge. Dank zij deze toegang kan GetAge() de waarde van itsAge aan main() doorgeven.

De regels 26 t/m 31 bevatten de definitie van de lidfunctie SetAge(). Deze accepteert een integer-parameter en stelt de waarde van itsAge op regel 30 in op de waarde van die parameter. Omdat SetAge() een lid van de klasse Cat is, heeft SetAge() directe toegang tot de lidvariabele itsAge.

Op regel 37 begint de definitie, of implementatie, van de methode Meow() van de klasse Cat. Dit is een functie van één regel die het woord Meow op het scherm weergeeft, gevolgd door een nieuwe regel. (Onthoud dat het teken \n een nieuwe regel op het scherm weergeeft.)

Op regel 44 begint de body van het programma met de bekende functie main(). In dit geval accepteert deze geen argumenten en levert int af. Op regel 46 declareert main() een Cat met de naam Frisky. Op regel 47 wordt de waarde 5 via de accessor-methode SetAge() aan de lidvariabele itsAge toegewezen. Merk op dat de methode wordt aangeroepen met de klassenaam (Frisky), gevolgd door de lidoperator (.) en de methodenaam (SetAge()). Op dezelfde manier kunt u één van de andere methoden in een klasse aanroepen.

Op regel 48 wordt de lidfunctie Meow() aangeroepen, en de regels 49 en 50 geven een bericht weer met behulp van de accessor GetAge(). Op regel 51 wordt Meow() opnieuw aangeroepen.

In deze les hebt u geleerd wat klassen en objecten zijn, en hoe u een nieuwe klasse definieert en objecten van die klasse maakt.

MEER OVER KLASSEN

In deze les leert u hoe u met constructors de status van uw klasse initialiseert, en hoe u lidmethoden constant maakt. Klassen beschikken over methoden die in mogelijkheden voorzien en over variabelen die in een status voorzien.

CONSTRUCTORS EN DESTRUCTORS

Er zijn twee methoden om een integer-variabele te definiëren. U kunt de variabele definiëren en er later in het programma een waarde aan toekennen. Voorbeeld:

```
int Gewicht;    // definieer een variabele
...             // overige programmacode
Gewicht = 7;    // wijs een waarde toe
```

Of u kunt de integer definiëren en meteen initialiseren. Voorbeeld:

```
int Gewicht = 7;    // definieer en wijs de beginwaarde 7 toe
```

Initialisatie combineert de definitie van de variabele met een aanvankelijke toekenning. Niets weerhoudt u ervan die waarde later te wijzigen. Initialisatie zorgt ervoor dat de variabele nooit zonder een betekenisvolle waarde is.

Hoe initialiseert u de lidfunctie van een klasse? Klassen kennen een speciale lidfunctie met de naam *constructor*. De constructor kan parameters accepteren, maar levert geen waarde af, zelfs niet `void`. De constructor is een klassemethode met dezelfde naam als de klasse zelf.

Wanneer u een constructor declareert, dient u ook een *destructor* te declareren. Terwijl constructors objecten van een klasse maken en initialiseren, ruimen destructors op na een object en maken het geheugen vrij dat u misschien hebt toegewezen. Een destructor heeft altijd de naam van de klasse, voorafgegaan door een tilde (~). Destructors accepteren geen argumenten en leveren geen waarde af. Daarom is het volgende in de declaratie voor `Cat` opgenomen:

`~Cat();`

STANDAARD-CONSTRUCTORS

Wanneer u het volgende schrijft

`Cat Frisky(5);`

roept u de constructor voor `Cat` aan, die één parameter accepteert (in dit geval de waarde 5). Als u echter het volgende schrijft

`Cat Frisky;`

mag u de haakjes weglaten en roept de compiler de *standaard-constructor* aan.

> **Standaard-constructor** Een constructor die geen parameters accepteert.

CONSTRUCTORS WAARIN DOOR DE COMPILER WORDT VOORZIEN

Als u geen enkele constructor declareert, genereert de compiler een standaard-constructor voor u. (Onthoud dat de standaard-constructor de constructor is die geen parameters accepteert.)

De standaard-constructor van de compiler onderneemt geen actie. Het is alsof u een constructor hebt gedeclareerd die geen parameters heeft geaccepteerd en waarvan de body leeg is.

Er kunnen hierover twee belangrijke dingen worden opgemerkt:

- Een standaard-constructor is elke willekeurige constructor die geen parameters accepteert. Het maakt niet uit of u deze hebt gedeclareerd of gratis en voor niets van de compiler hebt ontvangen.

- Als u een constructor declareert (met of zonder parameters), voorziet de compiler u niet van een standaard-constructor. Als u in dat geval een standaard-constructor wilt, moet u deze zelf declareren.

Als u geen destructor declareert, zorgt de compiler daarvoor. Deze destructor heeft eveneens een lege body en doet niets.

Het is een vast gebruik om als u een constructor declareert, ook een destructor te declareren, zelfs als deze destructor niets doet. Hoewel het waar is dat de standaard-destructor goed zou werken, kan het geen kwaad er zelf één te declareren om de programmacode begrijpelijker te maken.

In programma 8.1 is de klasse Cat herschreven en wordt een constructor gebruikt om het object Cat te initialiseren, waarbij u elke willekeurige beginleeftijd (initialAge) kunt instellen. In dit programma kunt u ook zien waar de destructor wordt aangeroepen.

Programma 8.1 Constructors en destructors toepassen

```
1:   // Demonstreert de declaratie van een constructor en
2:   // een destructor voor klasse Cat
3:
4:   #include <iostream.h>      // voor cout
5:
6:   class Cat                  // begin declaratie van de klasse
7:   {
8:    public:                   // begin public gedeelte
9:      Cat(int initialAge);    // constructor
10:     ~Cat();                 // destructor
11:     int GetAge();           // accessor-functie
12:     void SetAge(int age);   // accessor-functie
13:     void Meow();
14:    private:                 // begin private gedeelte
15:     int itsAge;             // lidvariabele
16:   };
17:
18:  // constructor van Cat
19:  Cat::Cat(int initialAge)
20:  {
21:      itsAge = initialAge;
22:  }
23:
24:  Cat::~Cat()                // destructor, onderneemt geen actie
25:  {
26:  }
27:
28:  // GetAge, public accessor-functie
```

Programma 8.1 Vervolg

```
29:  // levert waarde van lid itsAge af
30:  int Cat::GetAge()
31:  {
32:     return itsAge;
33:  }
34:
35:  // definitie van SetAge, public
36:  // accessor-functie
37:
38:  void Cat::SetAge(int age)
39:  {
40:     // stelt lidvariabele itsAge in op
41:     // waarde doorgegeven door parameter age
42:     itsAge = age;
43:  }
44:
45:  // definitie van methode Meow
46:  // levert void af
47:  // parameters: Geen
48:  // actie: drukt "meow" af op het scherm
49:  void Cat::Meow()
50:  {
51:     cout << "Meow.\n";
52:  }
53:
54:  // maak een kat, stel zijn leeftijd in, laat hem
55:  // mauwen, vertel ons zijn leeftijd, en mauw opnieuw.
56:  int main()
57:  {
58:     Cat Frisky(5);
59:     Frisky.Meow();
60:     cout << "Frisky is een cat who is" ;
61:     cout << Frisky.GetAge() << " years old is.\n";
62:     Frisky.Meow();
63:     Frisky.SetAge(7);
64:     cout << "Now Frisky is " ;
65:     cout << Frisky.GetAge() << " years old is.\n";
66;     return 0;
67: }
```

```
Meow.
Frisky is a cat who is 5 years old.
Meow.
Now Frisky is 7 years old.
```

Op regel 9 bevindt zich een constructor die een integer accepteert. Op regel 10 wordt de destructor gedeclareerd, die geen parameters accepteert. Destructors accepteren nooit parameters, en constructors en destructors leveren nooit een waarde af, zelfs niet `void`.

Op de regels 19 t/m 22 ziet u de implementatie van de constructor, die op de implementatie van de accessor-functie `SetAge()` lijkt. Er is geen return-waarde.

Op de regels 24 t/m 26 is de implementatie van de destructor `~Cat()` te zien. Deze functie doet niets maar u moet de definitie van de functie toevoegen als u deze in de declaratie van de klasse declareert.

Regel 58 bevat de definitie van een `Cat`-object, `Frisky`. De waarde 5 wordt aan de constructor van `Frisky` doorgegeven. Het is niet nodig om `SetAge()` aan te roepen, omdat `Frisky` met de waarde 5 in de lidvariabele `itsAge` is gecreëerd, zoals op regel 61 is te zien. Op regel 63 wordt de nieuwe waarde 7 aan de variabele `itsAge` van `Frisky` toegekend. Op regel 65 wordt de nieuwe waarde afgedrukt.

DE LIDFUNCTIE CONST

Als u declareert dat de lidfunctie van een klasse `const` is, belooft u eigenlijk dat de methode de waarde van geen enkel lid van de klasse zal wijzigen. Om een methode van een klasse als constant te declareren, zet u het gereserveerde woord `const` na de haakjes, maar voor de puntkomma. De declaratie van de *constante lidfunctie* `EenFunctie()` accepteert geen argumenten en levert `void` af:

```
void EenFunctie() const;
```

Accessor-functies worden vaak met de modifier `const` als constante functies gedeclareerd. De klasse `Cat` kent twee accessor-functies:

```
void SetAge(int anAge);
int GetAge();
```

> **Gebruik const vaak** Gebruik const waar mogelijk. Declareer lidfuncties als const wanneer deze het object niet mogen wijzigen. Hierdoor kan de compiler u helpen fouten te vinden, wat sneller en goedkoper is dan wanneer u het zelf moet doen.

SetAge() kan niet const zijn, omdat SetAge() de lidvariabele itsAge wijzigt. GetAge() kan en moet echter const zijn, omdat GetAge() de klasse helemaal niet wijzigt. GetAge() levert alleen de huidige waarde van de lidvariabele itsAge af. Daarom dient de declaratie van deze functies als volgt te worden geschreven:

```
void SetAge(int anAge);
int GetAge() const;
```

Als u een functie als const declareert, waarna de implementatie van die functie vervolgens het object wijzigt (door de waarde van één van de leden te wijzigen), merkt de compiler dit aan als een fout. Als u GetAge() bijvoorbeeld zo hebt geschreven dat GetAge() het aantal keren bijhoudt dat de Cat naar zijn leeftijd is gevraagd, zou dat een compileerfout genereren. De reden hiervoor is dat u door deze methode aan te roepen het object Cat zou wijzigen.

Het is bij het programmeren een goede gewoonte om zoveel mogelijk methoden als const te declareren. Elke keer dat u dit doet, stelt u de compiler in staat fouten op te sporen. Hiermee voorkomt u dat die fouten bugs worden die pas tevoorschijn komen wanneer uw programma wordt uitgevoerd.

In deze les hebt u geleerd hoe u de status van uw klassen met constructors kunt initialiseren en hoe u lidmethoden constant maakt.

KLASSEN GOED GEBRUIKEN

In deze les leert u hoe u klassen beheert en hoe u de compiler kunt inzetten bij het vinden en voorkomen van bugs. Klassen zijn het sleutelconcept in C++.

INTERFACE VERSUS IMPLEMENTATIE

Clients zijn de onderdelen van het programma die de objecten van een klasse maken en gebruiken. De interface-declaratie van uw klasse kunt u beschouwen als een contract met deze clients. Dit contract vertelt u welke gegevens er in de klasse beschikbaar zijn en hoe de klasse zich gedraagt.

Fouten in verschillende programmeerstadia Fouten die tijdens het compileren worden gevonden hebben de voorkeur boven runtime errors, fouten die tijdens de uitvoering van het programma worden gevonden. Fouten die bij het compileren worden gevonden kunnen met meer betrouwbaarheid worden gevonden. Het is mogelijk om een programma vele malen uit te voeren, zonder dat elk mogelijk codetraject wordt gevolgd. Daarom kan een fout bij de uitvoering zich lange tijd verscholen houden. Compileerfouten worden elke keer dat u compileert gevonden, en zijn dus gemakkelijker te herkennen en te repareren. Het is de bedoeling een kwaliteitsprogramma zonder programmafouten in de uitvoering af te leveren. Het is een beproefde methode de compiler te gebruiken om uw fouten vroeg in het ontwikkelingsproces op te sporen. Uiteraard is het mogelijk dat uw programmacode volkomen correct is maar niet doet wat de bedoeling was. Daarom hebt u nog steeds een team nodig dat de kwaliteit waarborgt.

WAAR KLASSEDECLARATIES EN METHODE-DEFINITIES MOETEN STAAN

Elke functie die u voor uw klasse declareert moet een definitie hebben in een bestand dat de compiler kan vinden. Doorgaans is dit een bestand waarvan de naam op .cpp eindigt. Als u de Microsoft-compiler benut, voegt u dit bestand toe aan uw project. Andere compilers maken andere bestanden of projectbestanden om na te gaan welke bestanden gecompileerd moeten worden.

> **-TIP-** Gebruik de extensie .cpp Veel compilers gaan ervan uit dat bestanden die op .C eindigen C-programma's zijn en dat C++-programmabestanden met .cpp eindigen. U kunt elke extensie toepassen, maar met .cpp veroorzaakt u zo min mogelijk verwarring.

KLASSEDECLARATIES IN HEADER-BESTANDEN

De declaratie van een klasse vertelt de compiler wat de klasse is, welke gegevens deze bevat en welke functies de klasse heeft. De declaratie van de klasse wordt de interface van de klasse genoemd, omdat de declaratie de gebruiker duidelijk maakt hoe deze met de klasse moet werken. De interface wordt gewoonlijk in een .hpp-bestand opgeslagen, dat bekend staat als een header-bestand.

De functiedefinitie vertelt de compiler hoe de functie werkt. De functiedefinitie wordt de *implementatie* van de klassemethode genoemd en wordt in een .CPP-bestand opgeslagen.

Ik heb bijvoorbeeld de declaratie van de klasse Cat in een bestand met de naam CAT.HPP geplaatst en de definitie van de klassemethoden in een bestand met de naam CAT.HPP geplaatst. Daarna heb ik het header-bestand in het .CPP-bestand opgenomen door de volgende programmacode bovenaan CAT.CPP te plaatsen.

```
#include "Cat.hpp"
```

Dit vertelt de compiler dat CAT.HPP in het bestand moet worden ingelezen, net alsof ik de inhoud van CAT.HPP op dit punt hebt getypt. Waarom zou u de bestanden scheiden als u ze toch weer wilt inlezen? In de meeste gevallen zijn de clients van uw klasse niet geïnteresseerd in de bijzonderheden van de implementatie.

Het header-bestand vertelt ze alles wat ze moeten weten. Ze kunnen de implementatiebestanden negeren.

INLINE-IMPLEMENTATIE

Wanneer u een functie aanroept, springt de uitvoering van het programma naar die functie en keert vervolgens terug wanneer de functie wordt afgesloten. Dit springen kost tijd. Een alternatief is de functie *inline* verklaren. Wanneer u een functie inline verklaart, maakt de compiler een kopie van de gehele functie op de plaats waar u die aanroept. Dit bespaart tijd maar vergroot de omvang van de programmacode.

Om een lidfunctie inline te maken, zet u het gereserveerde woord `inline` voor de return-waarde van de lidfunctie. De inline-implementatie van de functie `GetWeight()` ziet er bijvoorbeeld als volgt uit:

```
inline int Cat::GetWeigth()
{
  return itsWeight;  // levert het datalid Gewicht af
}
```

U kunt ook de definitie van een functie in de declaratie van de klasse plaatsen, waardoor die functie automatisch inline wordt. Hieronder ziet u een voorbeeld:

```
class Cat
{
public:
  GetWeight() const { return itsWeight; }  // inline
  void SetWeight(int aWeight);
private:
  int itsWeight;
};
```

> **Gebruik geen inline-functies** De compiler kan uw programmacode beter optimaliseren dan u denkt. Vermijd de toepassing van inline-functies, zodat de compiler de programmacode zo snel mogelijk kan uitvoeren.

Klassen met andere klassen als lidgegevens

Het is niet ongebruikelijk dat een complexe klasse wordt samengesteld door eenvoudige klassen te declareren en deze in de declaratie van de meer gecompliceerde klasse op te nemen. U kunt bijvoorbeeld een klasse Wiel, een klasse Motor, en klasse Transmissie, enzovoort, declareren, en deze in de klasse Auto combineren. Hiermee wordt er een relatie *heeft een* gedeclareerd: Een auto heeft een motor, heeft wielen en heeft een transmissie.

Bekijk nu eens een ander voorbeeld. Een rechthoek is opgebouwd uit lijnen. Een lijn wordt gedefinieerd door twee punten. Een punt wordt weer gedefinieerd door een x-coördinaat en een y-coördinaat. In programma 9.1 ziet u de volledige declaratie van de klasse Rectangle, die zich in RECTANGLE.HPP zou kunnen bevinden. Omdat een rechthoek (rectangle) kan worden gedefinieerd als vier lijnen die vier punten verbinden, en elk punt verwijst naar een coördinaat in een grafiek, wordt eerst de klasse Point gedeclareerd, die de x- en y-coördinaten van elk punt bevat. In programma 9.1 ziet u de volledige declaratie van beide klassen.

Programma 9.1   Een volledige klasse declareren

```
 1:   // Begin Rect.hpp
 2:   #include <iostream.h>
 3:   class Point      // bevat x,y-coördinaten
 4:   {
 5:      // geen constructor, gebruik default
 6:      public:
 7:         void SetX(int x) { itsX = x; }
 8:         void SetY(int y) { itsY = y; }
 9:         int GetX()const { return itsX;}
10:         int GetY()const { return itsY;}
11:      private:
12:         int itsX;
13:         int itsY;
14:   };    // einde van klassedeclaratie Point
15:
16:
17:   class  Rectangle
18:   {
19:   public:
```

```
20:     Rectangle (int top, int left,
        int bottom, int right);
21:     ~Rectangle () {}
22:
23:     int GetTop() const { return itsTop; }
24:     int GetLeft() const { return itsLeft; }
25:     int GetBottom() const { return itsBottom; }
26:     int GetRight() const { return itsRight; }
27:
28:     Point  GetUpperLeft() const { return itsUpperLeft; }
29:     Point  GetLowerLeft() const { return itsLowerLeft; }
30:     Point  GetUpperRight() const { return itsUpperRight; }
31:     Point  GetLowerRight() const { return itsLowerRight; }
32:
33:     void SetUpperLeft(Point Location)  {itsUpperLeft = Location;}
34:     void SetLowerLeft(Point Location)  {itsLowerLeft = Location;}
35:     void SetUpperRight(Point Location) {itsUpperRight = Location;}
36:     void SetLowerRight(Point Location) {itsLowerRight = Location;}
37:
38:     void SetTop(int top) { itsTop = top; }
39:     void SetLeft (int left) { itsLeft = left; }
40:     void SetBottom (int bottom) { itsBottom = bottom; }
41:     void SetRight (int right) { itsRight = right; }
42:
43:     int GetArea() const;
44:
45:     private:
46:         Point  itsUpperLeft;
47:         Point  itsUpperRight;
48:         Point  itsLowerLeft;
49:         Point  itsLowerRight;
50:         int    itsTop;
51:         int    itsLeft;
52:         int    itsBottom;
53:         int    itsRight;
54: };
55: // einde Rect.hpp
```

Programma 9.2 RECT.CPP

```
1:   // Begin rect.cpp
2:   #include ""rect.hpp"
3:   Rectangle::Rectangle(int top, int left, int bottom, int right)
4:   {
5:        itsTop = top;
6:        itsLeft = left;
7:        itsBottom = bottom;
8:        itsRight = right;
9:
10:       itsUpperLeft.SetX(left);
11:       itsUpperLeft.SetY(top);
12:
13:       itsUpperRight.SetX(right);
14:       itsUpperRight.SetY(top);
15:
16:       itsLowerLeft.SetX(left);
17:       itsLowerLeft.SetY(bottom);
18:
19:       itsLowerRight.SetX(right);
20:       itsLowerRight.SetY(bottom);
21:  }
22:
23:
24:  // bereken oppervlakte rechthoek via hoekpunten,
25:  // bepaal breedte en hoogte, en vermenigvuldig
26:  int Rectangle::GetArea() const
27:  {
28:       int Width = itsRight - itsLeft;
29:       int Height = itsTop - itsBottom;
30:       return (Width * Height);
31:  }
32:
33:  int main()
34:  {
35:       //initialiseer een lokale Rectangle-variabele
36:       Rectangle MyRectangle (100, 20, 50, 80 );
37:
38:       int Area = MyRectangle.GetArea();
39:
40:       cout << ""Area: " << Area << "\n";
41:       cout << "Upper Left X Coordinate: ";
42:       cout << MyRectangle.GetUpperLeft().GetX();
```

```
43:      return 0;
44:  }
```

```
Area: 3000
Upper Left X Coordinate: 20
```

Op de regels 3 t/m 14 in programma 9.1 wordt de klasse Point gedeclareerd, die een specifieke x- en y-coördinaat in een grafiek kan bevatten. Dit programma benut Point nauwelijks. Er zijn echter andere tekenmethoden die deze klasse wel benutten.

In de declaratie van de klasse Point declareert u twee lidvariabelen – itsX en itsY – op de regels 12 en 13. Deze variabelen bevatten de waarden van de coördinaten. Naarmate de x-coördinaat toeneemt, beweegt u op de grafiek naar rechts. Naarmate de y-coördinaat toeneemt, beweegt u op de grafiek omhoog. Andere grafieken maken gebruik van andere systemen. Bij sommige vensterprogramma's neemt de y-coördinaat bijvoorbeeld toe wanneer u in het venster omlaag beweegt.

De klasse Point past inline accessor-functies toe om de punten X en Y die op de regels 7 t/m 10 zijn gedeclareerd op te halen en in te stellen. Point maakt gebruik van de standaard-constructor; daarom moet u de coördinaten expliciet instellen.

Op regel 17 begint de declaratie van de klasse Rectangle. Rectangle bestaat uit vier punten die de hoeken van de rechthoek voorstellen.

De constructor voor Rectangle accepteert vier integers, die bekend staan als top, left, bottom en right. De vier parameters voor de constructor worden in vier lidvariabelen gekopieerd, waarna de vier Points worden vastgesteld.

In aanvulling op de gebruikelijke accessor-functies heeft Rectangle een functie met de naam GetArea(), die op regel 43 wordt gedeclareerd. In plaats van de oppervlakte (area) als een variabele op te slaan, berekent de functie GetArea() de oppervlakte op de regels 28 t/m 30 van programma 9.2. Dit vindt plaats door de breedte en de hoogte van de rechthoek te berekenen en deze twee waarden te vermenigvuldigen.

Om de x-coördinaat van de linkerbovenhoek van de rechthoek op te halen, moet er toegang worden gezocht tot het punt UpperLeft, waarna dit punt om de waarde X wordt verzocht. Omdat GetUpperLeft() een methode van Rectangle is, heeft GetUpperLeft() rechtstreeks toegang tot de private gegevens van Rectangle, met inbegrip van itsUpperLeft. Omdat itsUpperLeft een Point is, en de waarde itsX van Point private is, heeft GetUpperLeft geen directe toegang tot deze gegevens. In plaats daarvan moet GetUpperLeft de public accessor-functie GetX() benutten om die waarde op te halen.

Op regel 33 van programma 9.2 begint de body van het eigenlijke programma. Tot regel 36 is er geen geheugen toegewezen en is er eigenlijk nog niet echt iets gebeurd. We hebben de compiler alleen verteld hoe deze een Point en Rectangle moet maken, voor het geval dit ooit nodig is.

Op regel 36 definieer ik een Rectangle door de waarden voor top, left, bottom en right in te voeren.

Op regel 38 maak ik een lokale variabele, Area, van het type int. Deze variabele bevat de oppervlakte van de Rectangle die ik heb gecreëerd. Area wordt geïnitialiseerd met de waarde die door de functie GetArea() van Rectangle wordt afgeleverd.

Een client van Rectangle kan het object Rectangle maken en de oppervlakte ophalen, zonder ooit naar de implementatie van GetArea() te hoeven kijken.

Door het header-bestand te bekijken dat de declaratie van de klasse Rectangle bevat, weet de programmeur dat GetArea() een int aflevert. Hoe GetArea() zijn magische truuk uitvoert is voor de gebruiker van de klasse Rectangle niet interessant. In feite kan de auteur van Rectangle GetArea() wijzigen zonder dat de programma's die de klasse Rectangle benutten daardoor worden beïnvloed.

In deze les hebt u geleerd hoe u interface van implementatie kunt onderscheiden en hoe u complexe klassen uit eenvoudige klassen kunt opbouwen.

LUSSEN

-10-

In deze les leert u iets over de statements while, do-while en for.

LUSSEN

Veel programmeerproblemen kunnen worden opgelost door herhaaldelijk op basis van dezelfde gegevens actie te ondernemen. Dit proces wordt *iteratie* genoemd.

 **Iteratie** Steeds opnieuw hetzelfde doen. De belangrijkste methode van iteratie is de lus (*loop*).

while-LUSSEN

Een while-lus zorgt ervoor dat een programma een reeks van statements herhaalt zolang aan de beginvoorwaarde wordt voldaan.

De voorwaarde die door een while-lus wordt getoetst mag elke geldige C++-expressie zijn. Hieronder vallen ook expressies die met de logische operatoren && (AND), || (OR) en ! (NOT) worden gemaakt.

continue EN break

Soms wilt u terugkeren naar het begin van de while-lus voordat de volledige reeks statements in de while-lus is uitgevoerd. Het statement continue springt terug naar het begin van de lus.

Het komt ook voor dat u de lus wilt verlaten voordat aan de voorwaarde daarvoor is voldaan. Met het statement break wordt de while-lus onmiddellijk verlaten, en wordt de uitvoering van het programma hervat na de afsluitende accolade.

In programma 10.1 wordt het gebruik van deze statements gedemonstreerd. Dit programma is een spel. De gebruiker wordt uitge-
nodigd een laag getal (small), een hoog getal (large), een getal
voor overslaan (skip) en een doelgetal (target) in te voeren. Het
lage getal wordt met 1 opgehoogd en het hoge getal wordt met 2
verminderd. Het verminderen wordt steeds overgeslagen wanneer
small een meervoud van het getal skip is. Het spel is afgelopen als
small groter wordt dan large. Als large precies gelijk is aan target, wordt er een bericht afgedrukt en stopt het spel.

Het is de bedoeling van het spel dat de speler voor het hoge getal
(large) een doelgetal (target) invoert dat het spel stopt.

Programma 10.1 while-**lussen**

```
1:    // Programma 10.1
2:    // Een voorbeeld van een while-lus
3:
4:    #include <iostream.h>
5:
6:    int main()
7:    {
8:        unsigned short small;
9:        unsigned long large;
10:       unsigned long skip;
11:       unsigned long target;
12:       const unsigned short MAXSMALL=65535;
13:
14:       cout << "Enter a small number: ";
15:       cin >> small;
16:       cout << "Enter a large number: ";
17:       cin >> large;
18:       cout << "Enter a skip number: ";
19:       cin >> skip;
20:       cout << "Enter a target number: ";
21:       cin >> target;
22:
23:       cout << "\n";
24:
25:       // stel 3 stop-condities voor de lus in
26:       while (small < large && large > 0 && small < MAXSMALL)
27:
28:       {
```

```
29:
30:        small++;
31:
32:        if (small % skip == 0)  // decrement overslaan?
33:        {
34:          cout < "skipping on " << small << endl;
35:          continue;
36:        }
37:
38:      if (large == target) // komt exact overeen met doel?
39:        {
40:          cout < "Target reached!";
41:          break;
42:        }
43:
44:        large-=2;
45:      }                         // einde van while-lus
46:
47:      cout << "\nSmall: " << small << " Large: " ;
48:      cout << large << endl;
49:      return 0;
50:  }
```

```
Enter a small number: 2
Enter a large number: 20
Enter a skip number: 4
Enter a target number: 6

skipping on 4
skipping on 8
Small: 10 Large: 8
```

Bij dit spel heeft de speler verloren: small werd groter dan large voordat het getal target (6) werd bereikt.

Op regel 26 worden de while-voorwaarden getoetst. Als small kleiner blijft dan large, small groter is dan 0 en small de maximale waarde voor een unsigned short int niet heeft overschreden, wordt de body van de while-lus doorgegeven.

Op regel 32 wordt de rest bepaald als de waarde small door skip wordt gedeeld (met de operator %). Als small een meervoud van skip blijkt te zijn, wordt het statement continue bereikt en springt de uitvoering van het programma naar het begin van de lus op regel 26. Hierdoor wordt de toets voor `target` en het verminderen van `large` effectief overgeslagen.

Op regel 38 wordt `target` opnieuw getoetst aan de waarde van `large`. Als de waarden gelijk zijn, heeft de speler gewonnen. Er wordt een bericht afgedrukt en het statement `break` wordt bereikt. Hierdoor wordt de `while`-lus onmiddellijk verlaten en wordt de uitvoering van het programma op regel 46 hervat.

Zowel `continue` als `break` dienen behoedzaam te worden toegepast. Het zijn op `goto` na de gevaarlijkste opdrachten, ongeveer om dezelfde reden. Programma's die opeens van richting veranderen zijn moeilijk te begrijpen, en het overvloedig gebruik van `continue` en `break` kan zelfs een kleine `while`-lus onleesbaar maken.

do . . . while -LUSSEN

Het is mogelijk dat de body van een `while`-lus nooit wordt uitgevoerd. Het `while`-statement controleert of aan de voorwaarde wordt voldaan voordat één van de statements wordt uitgevoerd, en als de uitkomst `false` is, wordt de gehele body van de `while`-loop overgeslagen.

Een alternatief is een `do` . . . `while`-lus, die de body van de lus uitvoert voordat aan de voorwaarde is voldaan, en garandeert dat de body altijd ten minste één keer wordt uitgevoerd. Dit wordt in programma 10.2 gedemonstreerd.

Programma 10.2 Een `do...while`-lus

```
1:    //Programma 10.2
2:    //Een voorbeeld van do...while
3:
4:    #include <iostream.h>
5:
6:    int main()
7:    {
8:       int counter
9:       cout << "How many hellos? ";
10:      cin >> counter;
11:      do
12:      {
13:         cout << "Hello\n";
```

```
14:        counter--;
15:     } while (counter >0 );
16:     cout << "counter is: " << counter << endl;
17:     return 0;
18:  }
```

Resultaat

```
How many hellos? 2
Hello
Hello
counter is: 0
```

De gebruiker wordt op regel 9 gevraagd een waarde in te voeren die in de integer-variabele `counter` wordt opgeslagen. In de `do..while`-lus wordt de body van de lus ingevoerd voordat de voorwaarde wordt getoetst, waardoor deze ten minste eenmaal wordt uitgevoerd. Op regel 13 wordt het bericht afgedrukt, op regel 14 wordt de teller gedecrementeerd en op regel 15 wordt de voorwaarde getoetst. Als aan de voorwaarde is voldaan, springt de uitvoering naar het begin van de lus op regel 13; anders gaat de uitvoering door naar regel 16.

De statements `continue` en `break` functioneren in de `do...while`-lus precies zoals in de `while`-lus. Het enige verschil tussen een `while`-lus en een `do...while`-lus is het moment waarop de voorwaarde wordt getoetst.

`for`-LUSSEN

Wanneer u `while`-lussen programmeert, zult u vaak een startvoorwaarde instellen, toetsen of aan deze voorwaarde wordt voldaan en tijdens elke lus een variabele incrementeren of op een andere manier wijzigen.

Een `for`-lus combineert de drie stappen voor initialiseren, toetsen en incrementeren tot één statement. Een `for`-statement bestaat uit het gereserveerde woord `for`, gevolgd door twee haakjes. Tussen de haakjes bevinden zich drie statements, die door puntkomma's van elkaar worden gescheiden.

Het eerste statement is de initialisatie. Hier kan elk geldig C++-statement worden getypt, maar doorgaans wordt dit statement gebruikt om een tellende variabele te maken en te initialiseren. Statement twee is de test. Hier kan elke geldige C++-expressie worden toegepast. Dit statement speelt dezelfde rol als de voorwaarde in de while-lus. Statement drie is de actie. Meestal wordt er een waarde opgehoogd of verminderd, hoewel elk geldig C++-statement hier kan worden getypt.

De statements een en drie kunnen willekeurige geldige C++-statements zijn, maar statement twee moet een expressie zijn: een C++-statement dat een waarde als resultaat geeft. In programma 10.3 ziet u een voorbeeld van de for-lus.

Programma 10.3 De for-lus

```
1:  // Programma 10.3
2:  // Een lus met for
3:
4:  #include <iostream.h>
5:
6:  int main()
7:  {
8:    int counter;
9:    for (counter = 0; counter < 5; counter++)
10:     cout << "Looping! ";
11:
12:    cout << "\nCounter: " << counter << ".\n";
13:    return 0;
14: }
```

Resultaat
```
Looping! Looping! Looping! Looping! Looping!
Counter: 5
```

Het statement for op regel 9 combineert de initialisatie van coun-ter, de test of counter minder is dan 5, en de ophoging van coun-ter op één en dezelfde regel. De body van het statement for bevindt zich op regel 10. Natuurlijk zou hier ook een blok kunnen worden toegepast.

Meervoudige initialisatie en ophoging

Het is niet ongebruikelijk meer dan één variabele te initialiseren, een samengestelde logische expressie te testen, en meer dan één statement uit te voeren. De statements voor initialisatie en actie kunnen door enkele C++-statements worden vervangen, die door een komma van elkaar worden gescheiden.

NULL-STATEMENTS IN for-LUSSEN

Een statement of alle statements in een for-lus mogen nul zijn. Dit bereikt u door met een puntkomma de plaats van het statement te markeren. Om een for-lus te maken die precies zoals een while-lus fungeert, laat u het eerste en derde statement weg.

LEGE for-LUSSEN

Er kan zoveel in de header van een for-statement worden gedaan dat er soms niets in de body hoeft te gebeuren. Zorg er in dat geval voor dat u een null-statement (;) als body van de lus typt. De puntkomma mag op dezelfde regel als de header staan maar wordt dan wel gemakkelijk over het hoofd gezien. In programma 10.4 ziet u een voorbeeld met een null-statement.

Programma 10.4   Een null-statement in een for-lus

```
1:   //Programma 10.4
2:   //Een voorbeeld van een null-statement
3:   //als body van een for-lus
4:
5:   #include <iostream.h>
6:   int main()
7:   {
8:       for (int i = 0; i<5; cout < "i: " << i++ << endl)
9:          ;
10:      return 0;
11:  }
```

Resultaat

```
i: 0
i: 1
i: 2
i: 3
i: 4
```

De for-lus op regel 8 bevat drie statements: het initialisatie-statement zorgt voor de counter i en geeft deze de beginwaarde 0. Het voorwaarde-statement gaat na of i<5, en het actie-statement drukt de waarde in i af en hoogt deze op.

Er hoeft niets met de body van de for-lus te gebeuren; daarom wordt het null-statement (;) toegepast. Neem er nota van dat deze for-lus niet goed is ontworpen: het actie-statement doet veel te veel. De programmacode kan beter als volgt worden herschreven:

```
8:  for (int i = 0; i<5; i++)
9:     cout << "i: " << i << endl;
```

Hoewel beide codefragmenten hetzelfde doen, is dit voorbeeld een stuk gemakkelijker te begrijpen.

GENESTE LUSSEN

Lussen kunnen worden genest, waarbij de ene lus zich in de body van de andere bevindt. De binnenste lus wordt bij elke uitvoering van de buitenste lus volledig uitgevoerd.

In programma 10.5 ziet u een voorbeeld waarbij geneste for-lussen worden toegepast om x-markeringen in een matrix te schrijven.

Programma 10.5 Geneste for-lussen

```
1:  //Programma 10.5
2:  //Een voorbeeld van geneste for-lussen
3:
4:  #include <iostream.h>
5:
6:  int main()
7:  {
8:      int rows, columns;
9:      char theChar;
10:     cout << "How many rows? ";
11:     cin >> rows;
12:     cout << "How many columns? ";
13:     cin >> columns;
14:     cout << "Which character? ";
15:     cin >> theChar;
16:     for (int i = 0; i<rows; i++)
17:     {
18:         for (int j = 0; j<columns; j++)
19:             cout << theChar;
20:         cout << "\n";
21:     }
22:     return 0;
23:  }
```

```
How many rows? 4
How many columns? 12
Which character? x
xxxxxxxxxxxx
xxxxxxxxxxxx
xxxxxxxxxxxx
xxxxxxxxxxxx
```

De gebruiker wordt gevraagd naar het aantal rijen en kolommen en naar het teken dat moet worden afgedrukt. De eerste for-lus, op regel 16, stelt een teller (i) in op 0, waarna de body van de buitenste for-lus wordt uitgevoerd.

Op regel 18, de eerste regel van de body van de buitenste for-loop, begint een tweede for-lus. Er wordt een tweede teller (j) op 0 ingesteld en de body van de binnenste for-lus wordt uitgevoerd. Op regel 19 wordt het gekozen teken afgedrukt, waarna de besturing terugkeert naar de header van de binnenste for-lus. Merk op dat de binnenste for-lus slechts uit één statement bestaat (voor afdrukken van het teken). Er wordt nagegaan of aan de voorwaarde wordt voldaan (j < columns). Als dit het geval is, wordt j opgehoogd en wordt het volgende teken afgedrukt. Dit gaat zo door totdat j gelijk is aan het aantal kolommen.

Wanneer de binnenste for-lus niet aan de voorwaarde voldoet; in dit geval nadat er 12 x-en zijn afgedrukt, loopt de uitvoering door naar regel 2 en wordt er een nieuwe regel afgedrukt. De buitenste for-lus keert nu terug naar de header, waar wordt nagegaan of aan de voorwaarde (i < rows) wordt voldaan. Als dit het geval is, wordt i opgehoogd en wordt de body van de lus uitgevoerd.

Bij de tweede iteratie van de buitenste for-lus, wordt de binnenste for-lus opnieuw gestart. Dit betekent dat j opnieuw wordt geïnitialiseerd (dus weer 0 wordt!) en dat de volledige binnenste lus opnieuw wordt uitgevoerd.

Het is hier vooral van betekenis dat wanneer een geneste lus wordt gebruikt, de binnenste lus bij elke iteratie van de buitenste lus wordt uitgevoerd. Daarom wordt het teken columns keer voor elke row afgedrukt.

In deze les hebt u de lussen while, do...while en for leren kennen.

SWITCH-
STATEMENTS

In deze les leert u het switch-statement kennen.

switch -STATEMENTS

Combinaties met if en else...if kunnen behoorlijk verwarrend
worden wanneer ze diep zijn genest. C++ biedt hiervoor een alternatief. In tegenstelling tot if, die één waarde beoordeelt, stellen
switch-statements u in staat op basis van een willekeurig aantal
verschillende waarden naar een ander codefragment te springen.
De algemene vorm van het switch-statement is als volgt:

```
switch (expressie)
{
case valueOne: statement;
          break;
case valueTwo: statement;
          break;
....
case valueN:   statement;
          break;
default:       statement;
}
```

expressie is elke geldige C++-expressie en de *statements* mogen uit
elk C++-statement of blok met statements bestaan. switch beoordeelt *expressie* en vergelijkt het resultaat met de case-waarden.

Als één van de case-waarden overeenkomt met de expressie,
springt de uitvoering naar die statements en gaat door tot het einde

> **Beoordeling op gelijkheid** Er wordt alleen op gelijk-
> -TIP- heid beoordeeld. Er kunnen hier geen relationele ope-
> ratoren of Boolean-operatoren worden toegepast.

van het `switch`-block, tenzij het statement `break` wordt ontmoet. Als er niets overeenkomt, springt de uitvoering naar het optionele statement `default`. Als er geen `default`-statement en geen overeenkomende waarde is, wordt het `switch`-statement beëindigd.

> **TIP**
>
> **De default case in switch-statements** Het is bijna altijd een goed idee om een `default case` in `switch`-statements op te nemen. Als u de regel met `default` verder niet nodig hebt, kunt u deze desondanks benutten om een foutbericht af te drukken indien bepaalde waarden overeenkomen. Dit kan een grote hulp zijn bij het opsporen van bugs (*debugging*).

Het is van belang op te merken dat de uitvoering doorgaat (*falls through*) naar de volgende `case` als er geen `break`-statement aan het einde van een case-statement staat. Dit is soms noodzakelijk maar meestal een fout. Als u besluit dat de uitvoering moet doorgaan naar de volgende `case`, vergeet dan niet een commentaar te typen dat aangeeft dat u het `break`-statement niet eenvoudig bent vergeten.

In programma 11.1 ziet u een voorbeeld van het `switch`-statement.

Programma 11.1 Een voorbeeld van het switch-statement

```
1:    // Programma 11.1
2:    // Een voorbeeld van het switch-statement
3:
4:    #include <iostream.h>
5:
6:    int main()
7:    {
8:        unsigned short int number;
9:        cout << "Enter a number between 1 and 5: ";
10:       cin >> number;
11:       switch (number)
12:       {
13:         case 0:  cout << "Too small, sorry!";
14:                  break;
15:         case 5:  cout << "Good job!\n";   // geen break
16:         case 4:  cout << "Nice Pick!\n";  // geen break
17:         case 3:  cout << "Excellent!\n";  // geen break
```

```
18:        case 2:  cout << "Masterful!\n";   // geen break
19:        case 1:  cout << "Incredible!\n";  // geen break
20:                 break;
21:     default: cout << "Too large!\n";
22:                 break;
23:     }
24:     cout << "\n\n";
25:     return 0;
26:  }
```

Resultaat

```
Enter a number between 1 and 5: 3
Excellent!
Masterful!
Incredible!

Enter a number between 1 and 5: 8
Too large!
```

 Een opmerking over de uitvoer De getoonde uitvoer is het resultaat als dit programma tweemaal wordt uitgevoerd.

De gebruiker wordt naar een getal gevraagd. Dat getal wordt aan het switch-statement doorgegeven. Als het getal 0 is, komt het overeen met het case-statement op regel 13, en wordt het bericht Too small, sorry! afgedrukt. In dat geval wordt het switch-statement door break beëindigd. Als de waarde 5 is, springt de uitvoering eerst naar regel 15, waar een bericht wordt afgedrukt, en dan naar regel 16, waar een ander bericht wordt afgedrukt; en zo verder totdat break op regel 20 wordt bereikt.

Het nettoresultaat van deze statements is dat er bij een getal tussen 1 en 5 veel berichten worden afgedrukt. Als de waarde van het getal niet tussen 0 en 5 valt, wordt aangenomen dat het getal te hoog is en wordt het default-statement op regel 21 aangeroepen.

In deze les hebt u geleerd hoe en wanneer u het switch-statement toepast.

POINTERS

12

In deze les leert u wat pointers zijn en hoe u pointers declareert en gebruikt.

WAT IS EEN POINTER?

Eén van de meest effectieve hulpmiddelen die een C++-programmeur tot zijn of haar beschikking heeft is de mogelijkheid computergeheugen met *pointers* rechtstreeks te manipuleren. Vaak worden pointers echter ook als één van de meest verwarrende aspecten van C++ beschouwd.

Ik geloof dat pointers niet tot verwarring hoeven te leiden. U moet alleen een beetje tijd besteden aan de vraag wat pointers eigenlijk zijn.

Een pointer is een variabele die een geheugenadres bevat.

Stop. Lees dat opnieuw. Een pointer is een variabele. U weet wat een variabele is: een variabele is een object dat een waarde kan bevatten. Een integer-variabele bevat een getal. Een tekenvariabele bevat een letter. Een pointer is een variabele die een geheugenadres bevat.

Goed, maar wat is een geheugenadres? Om die vraag te kunnen beantwoorden, moet u eerst iets over computergeheugen weten. Raak niet in paniek; het is niet zo moeilijk.

Het computergeheugen is de plaats waar deze waarden worden opgeslagen. Als regel wordt computergeheugen opgedeeld in opeenvolgende genummerde geheugenlocaties. Elk van deze locaties is een geheugenadres.

Elke variabele van elk type bevindt zich op een unieke locatie met een adres. In figuur 12.1 wordt de opslag van een variabele van het type unsigned long int, theAge, schematisch weergegeven.

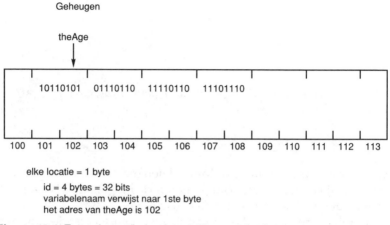

Geheugen

theAge

| 10110101 | 01110110 | 11110110 | 11101110 |

100 101 102 103 104 105 106 107 108 109 110 111 112 113

elke locatie = 1 byte
id = 4 bytes = 32 bits
variabelenaam verwijst naar 1ste byte
het adres van theAge is 102

Figuur 12.1 Een schematische voorstelling van theAge

Het is niet nodig de feitelijke numerieke waarde van het adres van elke variabele te kennen. Het enige wat u hoeft te weten is dat elke variabele een adres heeft en dat de juiste hoeveelheid geheugen is gereserveerd.

Hoe weet een compiler hoeveel geheugen elke variabele nodig heeft? U vertelt de compiler hoeveel geheugen er nodig is door het type variabele te declareren.

HET ADRES IN EEN POINTER OPSLAAN

Elke variabele heeft een adres. Zelfs zonder dat u het specifieke adres van een gegeven variabele kent, kunt u dat adres in een pointer opslaan.

Stel bijvoorbeeld dat howOld een integer is. Om de pointer pAge te declareren, die het adres van howOld bevat, schrijft u het volgende:

```
int *pAge =0;
```

Dit declareert pAge als pointer naar int. Dat wil zeggen dat pAge is gedeclareerd om het adres voor een variabele van het type int te bevatten.

In dit voorbeeld is de beginwaarde van pAge gelijk aan 0. Een pointer met de waarde 0 wordt een *null-pointer* genoemd. Alle pointers moeten een beginwaarde hebben wanneer ze worden gemaakt. Als u niet weet welke waarde u aan een pointer wilt toekennen, typt u 0. Een pointer zonder een beginwaarde wordt een *wild pointer* genoemd. *Wild pointers* zijn heel gevaarlijk.

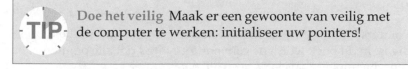

Doe het veilig Maak er een gewoonte van veilig met de computer te werken: initialiseer uw pointers!

Als u de beginwaarde van de pointer op 0 stelt, moet u het adres van howOld aan pAge toekennen. In het volgende voorbeeld ziet u hoe u dat moet doen:

```
int howOld = 50;   // maak een variabele
int * pAge = 0;    // maak een pointer
pAge = &howOld;    // zet het adres van howOld in pAge
```

Op de eerste regel wordt een variabele gemaakt – howOld van het type int –, die de beginwaarde 50 krijgt. Op de tweede regel wordt verklaard dat pAge een pointer naar het type int is, die een beginwaarde van 0 krijgt. U weet dat pAge een pointer is vanwege het sterretje (*) na het type van de variabele en voor de naam van de variabele.

Op de derde en laatste regel wordt het adres van howOld aan de pointer pAge toegewezen. U weet dat het adres van howOld wordt toegewezen door de operator die de betekenis 'het adres van' heeft (&).

Op dit punt heeft pAge het adres van howOld als waarde. howOld, op zijn beurt, heeft de waarde 50. U had hetzelfde met een stap minder kunnen bereiken:

```
int howOld = 50;      // maak een variabele
int * pAge = &howOld; // maak een pointer naar howOld
```

pAge is een pointer die nu het adres van de variabele howOld bevat. Met pAge kunt u daadwerkelijk de waarde van howOld bepalen, die in dit geval 50 is. Met de pointer pAge toegang zoeken tot howOld wordt *indirection* genoemd, omdat u indirect toegang tot howOld krijgt. Later zult u zien hoe u met *indirection* toegang tot de waarde van een variabele kunt krijgen.

Indirection Toegang krijgen tot de waarde op het adres dat in een pointer is opgeslagen. De pointer voorziet in een indirecte methode om de waarde op te halen die op dat adres wordt bewaard.

POINTER-NAMEN

Pointers kunnen elke naam hebben die voor andere variabelen geldig is. In dit boek wordt de conventie gevolgd dat alle pointers met een p beginnen, zoals in pAge en pNumber.

INDIRECTION-OPERATOR

De *indirection-operator* (*) wordt ook wel de *dereferentie-operator* genoemd. *Dereferentie* houdt in dat de waarde op het door de pointer bewaarde adres wordt opgehaald.

MET POINTERS GEGEVENS MANIPULEREN

Nadat aan een pointer het adres van een variabele is toegekend, hebt u met die pointer toegang tot de gegevens in de variabele. In programma 12.1 wordt een voorbeeld gegeven van de wijze waarop het adres van een lokale variabele aan een pointer wordt toegekend en hoe de pointer de waarden in die variabele manipuleert.

Programma 12.1 Met pointers gegevens manipuleren

```
1:    // Programma 12.1: Pointers toepassen
2:
3:    #include <iostream.h>
4:
5:
6:    int main()
7:    {
8:        int myAge;          // een variabele
9:        int * pAge = 0;     // een pointer
10:       myAge = 5;
11:       cout << "myAge: " << myAge << "\n";
12:
13:       pAge = &myAge;      // ken adres van myAge toe aan pAge
14:
```

```
15:      cout << "*pAge: " << *pAge << "\n\n";
16:
17:      cout << "*pAge = 7\n";
18:
19:      *pAge = 7;         // stelt myAge in op 7
20:
21:      cout << "*pAge: " << *pAge << "\n";
22:      cout << "myAge: " << myAge << "\n\n";
23:
24:
25:      cout << "myAge = 9\n";
26:
27:      myAge = 9;
28:
29:      cout << "myAge: " << myAge << "\n";
30:      cout << "*pAge: " << *pAge << "\n";
31:
32:      return 0;
33: }
```

Resultaat

```
myAge: 5
*pAge: 5

*pAge = 7
*pAge: 7
myAge: 7

myAge =9
myAge: 9
*pAge: 9
```

In dit programma worden twee variabelen gedeclareerd: een variabele van het type int, myAge, en de pointer pAge, waarbij de laatste een pointer naar int is die het adres van myAge bevat. Aan myAge wordt op regel 10 de waarde 5 toegewezen. Dit wordt geverifieerd door de afdruk op regel 11.

Op regel 13 wordt het adres van myAge aan pAge toegewezen. Op regel 15 wordt de waarde op het adres dat in pAge is opgeslagen opgehaald en afgedrukt. Hierbij wordt duidelijk dat de waarde op het adres dat in pAge is opgeslagen, de waarde 5 is die in myAge is opgeslagen. Op regel 19 wordt de waarde 7 toegewezen aan de variabele op het adres dat in pAge is opgeslagen. Hierdoor krijgt myAge de waarde 7. De afdrukopdrachten op de regels 21 en 22 bevestigen dit.

Op regel 27 wordt de waarde 9 aan de variabele myAge toegewezen. Deze waarde wordt rechtstreeks opgehaald op regel 29 en indirect – door dereferentie van pAge – op regel 30.

WAAROM ZOU U POINTERS GEBRUIKEN?

Tot nu toe hebt u stapsgewijs geleerd hoe u het adres van een variabele aan een pointer toekent. In de praktijk zou u dit echter nooit doen. Waarom zou u ten slotte de moeite nemen een pointer te benutten, terwijl u al een variabele met toegang tot die waarde hebt? Het heeft geen nut een automatische variabele op deze manier met een pointer te beïnvloeden, tenzij om te laten zien hoe pointers functioneren. Nu u bekend bent met de syntaxis van pointers, kunt u er op een goede manier gebruik van maken.

DE STACK EN VRIJ OPSLAAN

Programmeurs werken gewoonlijk met vijf verschillende geheugenbereiken:

- Globaal naambereik
- Vrij geheugen
- Registers
- Codebereik
- De stack

Lokale variabelen bevinden zich samen met functieparameters in de *stack*. Programmacode bevindt zich natuurlijk in het codebereik en globale variabelen bevinden zich in het globale naambereik. De registers worden voor interne huishoudelijke functies benut, zoals bijvoorbeeld het in de gaten houden van de bovenkant van de stack en de instructie-pointer. Nagenoeg al het resterende geheugen wordt aan het vrije geheugen gegeven, dat ook wel de *heap* wordt genoemd.

Het probleem met lokale variabelen is dat ze niet blijven bestaan: wanneer de functie een resultaat aflevert, worden de lokale variabelen weggegooid. Globale variabelen lossen dat probleem op, maar dit gebeurt ten koste van onbeperkte toegang tot het gehele programma, wat weer tot gevolg heeft dat er programmacode wordt gemaakt die moeilijk te begrijpen en te onderhouden is. Deze beide problemen kunnen worden opgelost door gegevens in het vrije geheugen te plaatsen.

U kunt het vrije geheugen beschouwen als een reusachtig geheugenbereik, waarin duizenden opeenvolgend genummerde vakjes op uw gegevens liggen te wachten. U kunt deze vakken geen label geven, wat u wel in de *stack* kunt doen. U moet het adres opvragen van het vakje dat u wilt reserveren en dit in een pointer opbergen.

Dit is wellicht gemakkelijker voor te stellen via de volgende analogie: een vriend geeft u het telefoonnummer van een postorderbedrijf. U gaat naar huis en programmeert dit nummer in uw telefoon. Vervolgens gooit u het papiertje met het nummer weg. Wanneer u op de knop drukt, rinkelt er ergens een telefoon en krijgt u het postorderbedrijf aan de lijn. U kunt zich het nummer niet herinneren en u weet ook niet waar de andere telefoon zich bevindt, maar de knop geeft u toegang tot het postorderbedrijf. Het postorderbedrijf stelt uw gegevens in het vrije geheugen voor. U weet niet waar het is maar u weet hoe u het moet bereiken. Het telefoonnummer stelt het geheugenadres voor. U hoeft niet te weten wat het nummer is; u hoeft het alleen in een pointer – de knop – op te bergen. De pointer geeft u toegang tot uw gegevens zonder u met de details lastig te vallen.

De stack wordt automatisch opgeruimd wanneer een functie een resultaat heeft afgeleverd. Alle lokale variabelen worden uit de stack verwijderd. Het vrije geheugen wordt pas opgeruimd wanneer uw programma wordt beëindigd, en het is uw verantwoordelijkheid om geheugen dat u eventueel hebt gereserveerd weer vrij te maken wanneer u ermee klaar bent. U moet ervoor zorgen dat het geheugen wordt vrijgemaakt zodra het niet meer nodig is, om te voorkomen dat een programma ooit geheugen tekort komt. Dit is een gewoonte die u zich niet vroeg genoeg in uw loopbaan kunt aanwennen.

Het voordeel van het vrije geheugen is dat het gereserveerde geheugen beschikbaar blijft totdat u het expliciet vrijmaakt. Als u vanuit een functie geheugen in het vrije geheugen reserveert, is dit geheugen er nog nadat de functie een resultaat heeft afgeleverd.

Een ander voordeel van dit soort geheugentoegang, in vergelijking met globale variabelen, is dat alleen functies die toegang tot de pointer hebben, toegang tot de gegevens hebben. Hierdoor beschikken die gegevens over een strikt gecontroleerde interface, en wordt voorkomen dat een bepaalde functie de gegevens op een onverwachte en onvoorspelbare wijze verandert.

Om dit te bereiken, moet u in staat zijn een pointer te maken die naar een locatie in het vrije geheugen wijst, en moet u die pointer aan functies kunnen doorgeven. In de volgende paragrafen wordt beschreven hoe u dit kunt doen.

new

In C++ wijst u geheugen in het vrije bereik toe met het gereserveerde woord `new`. `new` wordt gevolgd door het type object dat u wilt toekennen, zodat de compiler weet hoeveel geheugen er nodig is. Daarom wijst `new unsigned short int` 2 bytes in het vrije geheugen toe, en wijst `new long` 4 bytes toe. De return-waarde van `new` is een geheugenadres. Dit moet aan een pointer worden toegewezen. Om een variabele van het type `unsigned short` in het vrije geheugen te maken, kunt u het volgende schrijven:

```
unsigned short int * pPointer;
pPointer = new unsigned short int;
```

Uiteraard kunt u de pointer van een beginwaarde voorzien:

```
unsigned short int * pPointer = new unsigned short int;
```

In beide gevallen wijst `pPointer` nu naar een variabele van het type `unsigned short int` in het vrije geheugen. Zoals voor alle pointers geldt die naar een variabele wijzen, kunt u aan deze pointer een waarde op de geheugenlocatie toewijzen:

```
*pPointer = 72;
```

Dit betekent zoveel als: 'Ken de waarde 72 toe aan de locatie in het vrije geheugen waarnaar `pPointer` wijst.'

delete

Wanneer u klaar bent met een geheugenlocatie, moet u het woord `delete` voor de pointer gebruiken. Het woord `delete` geeft het gebruikte geheugen terug aan het vrije geheugen. Onthoud dat de pointer zelf – in tegenstelling tot het geheugen waarnaar deze verwijst – een lokale variabele is. Wanneer de functie waarin de pointer is gedeclareerd een resultaat geeft, bevindt de pointer zich niet meer in de *scope* en wordt onvindbaar. Het geheugen dat met de operator new is toegewezen wordt niet automatisch vrijgemaakt; een gesteldheid die een geheugenlek wordt genoemd. Men spreekt van een geheugenlek, omdat het geheugen pas weer kan worden hersteld wanneer het programma is beëindigd. Het is alsof het geheugen uit de computer is weggelekt.

Om het geheugen aan het vrije geheugen terug te geven, gebruikt u het gereserveerde woord delete. Voorbeeld:

```
delete pPointer;
```

Wanneer u een pointer wist, maakt u eigenlijk het geheugen vrij waarvan het adres in de pointer wordt bewaard. U zegt eigenlijk: 'Geef het geheugen waarnaar deze pointer wijst terug aan het vrije geheugenbereik.' De pointer is nog steeds een pointer en er kan een nieuw adres aan worden toegekend. In programma 12.2 wordt gedemonstreerd hoe u een variabele in de *heap* toewijst, hoe u deze variabele gebruikt en hoe u deze weer wist.

Programma 12.2 Een pointer toewijzen en wissen

```
1:    // Programma 12.2
2:    // Een pointer toewijzen en wissen
3:
4:    #include <iostream.h>
5:    int main()
6:    {
7:        int localVariable = 5;
8:        int * pLocal= localVariable;
9:        int * pHeap = new int;
10:       *pHeap = 7;
11:       cout << "localVariable: " << localVariable << "\n";
12:       cout << "*pLocal: " << *pLocal << "\n";
13:       cout << "*pHeap: " << *pHeap << "\n";
14:       delete pHeap;
15:       pHeap = new int;
16:       *pHeap = 9;
17:       cout << "*pHeap: " << *pHeap << "\n";
18:       delete pHeap;
19:       return 0;
20:   }
```

 **Delete aanroepen voor null-pointers** Wanneer u delete voor een pointer aanroept, wordt het geheugen waarnaar de pointer wijst vrijgemaakt. Als u delete nogmaals voor die pointer aanroept, loopt het programma vast! Stel de pointer nadat u deze hebt gewist op 0 (nul). delete voor een null-pointer aanroepen is gegarandeerd veilig.

Programma 12.2 Vervolg

`Resultaat`
```
localVariable: 5
*pLocal: 5
*pHeap: 7
*pHeap: 9
```

Op regel 7 wordt een lokale variabele gedeclareerd en geïnitialiseerd. Op regel 8 wordt een pointer gedeclareerd en geïnitialiseerd met het adres van de lokale variabele. Op regel 9 wordt een andere pointer gedeclareerd, maar deze wordt geïnitialiseerd met het resultaat dat is verkregen door new int aan te roepen. Hiermee wordt er ruimte in het vrije geheugen toegewezen voor een variabele van het type int.

Op regel 10 wordt de waarde 7 toegekend aan het zojuist toegewezen geheugen. Op regel 11 wordt de waarde van de lokale variabele afgedrukt en op regel 12 wordt de waarde afgedrukt waarnaar door pLocal wordt verwezen. Zoals verwacht zijn deze waarden gelijk. Op regel 13 wordt de waarde afgedrukt waarnaar door pHeap wordt verwezen. Hierdoor is te zien dat de waarde die op regel 10 is toegewezen werkelijk toegankelijk is.

Op regel 14 wordt het geheugen dat op regel 9 is toegewezen door het aanroepen van delete teruggegeven aan het vrije geheugen. Hierdoor wordt het geheugen vrijgemaakt en wordt de relatie tussen de pointer en dat geheugen verbroken. pHeap is nu vrij en kan naar een ander geheugenadres wijzen. Op de regels 15 en 16 wordt er een nieuwe waarde aan pHeap toegekend, en op regel 17 wordt het resultaat daarvan afgedrukt. Op regel 18 wordt dat geheugen aan het vrije geheugen teruggegeven.

Hoewel regel 18 overbodig is (bij het beëindigen van het programma zou het geheugen vanzelf zijn teruggegeven), is het een goed idee dit geheugen expliciet terug te geven. Als het programma ooit wordt gewijzigd of uitgebreid, is het voordelig dat deze stap al heeft plaatsgevonden.

GEHEUGENLEKKEN

Een andere manier waarop u per ongeluk een geheugenlek kunt veroorzaken is door opnieuw een geheugenadres aan de pointer toe te wijzen, voordat het geheugen waar deze al naar verwijst is gewist. Bekijk het volgende codefragment:

```
1: unsigned short int * pPointer = new unsigned short int;
2: *pPointer = 72;
3: pPointer = new unsigned short int;
4: *pPointer = 84;
```

Op regel 1 wordt pPointer gemaakt en wordt er een adres van een locatie in het vrije geheugen aan toegewezen. Op regel 2 wordt de waarde 72 in die geheugenlocatie opgeslagen. Op regel 3 wordt een nieuwe geheugenlocatie aan pPointer toegewezen. Op regel 4 wordt de waarde 84 in die locatie opgeslagen. De oorspronkelijke locatie – die de waarde 72 bevat – is niet beschikbaar, omdat de pointer naar die geheugenlocatie nu naar een andere locatie wijst. Het is niet mogelijk toegang tot de oorspronkelijke geheugenlocatie te krijgen, en de geheugenlocatie kan niet meer worden vrijgemaakt voordat het programma wordt beëindigd.

De programmacode had als volgt moeten worden geschreven:

```
1: unsigned short int * pPointer = new unsigned short int;
2: *pPointer = 72;
3: delete pPointer;
3: pPointer = new unsigned short int;
4: *pPointer = 84;
```

Nu wordt het geheugen waar pPointer aanvankelijk naar wees op regel 3 gewist, en dus vrijgemaakt.

In deze les hebt u geleerd wat een pointer is en hoe u deze gebruikt.

> **TIP**
>
> **Vergeet delete niet wanneer u new aanroept** Voor
> elke keer dat u in een programma new aanroept, dient
> ook delete een keer te worden aangeroepen. Het is be-
> langrijk dat wordt bijgehouden welke pointer een ge-
> heugenlocatie in bezit heeft en ervoor te zorgen dat het
> geheugen aan het vrije geheugen wordt teruggegeven
> wanneer u ermee klaar bent.

Meer over Pointers

In deze les leert u hoe u pointers doeltreffend gebruikt en hoe u geheugen-problemen kunt voorkomen.

Objecten maken in het vrije geheugen

Op dezelfde manier als een pointer naar een integer kan wijzen, kan een pointer naar elk willekeurig object wijzen. Als u een object van het type Cat hebt gedeclareerd, kunt u een pointer naar die klasse declareren en het object Cat in het vrije geheugen realiseren, op dezelfde manier als u een object in de stack zou maken. De syntaxis is gelijk aan die voor integers:

```
Cat *pCat = new Cat;
```

Hiermee wordt de standaard-constructor aangeroepen, ofwel de constructor die geen parameters accepteert. De constructor wordt aangeroepen wanneer er een object in de stack of in het vrije geheugen wordt gemaakt.

Objecten wissen

Wanneer u delete aanroept voor een pointer die naar een object in het vrije geheugen wijst, wordt de destructor van dat object aangeroepen voordat het geheugen wordt vrijgegeven. Dit geeft uw klasse de kans om op te ruimen, zoals ook gebeurt bij objecten in de stack die worden vernietigd.

Programma 13.1 Objecten in het vrije geheugen maken en wissen

```
1:    // Programma 13.1:
2:    // Objecten in het vrije geheugen maken
3:
4:    #include <iostream.h>
```

Programma 13.1 Vervolg

```
5:
6:   class SimpleCat
7:   {
8:   public:
9:        SimpleCat();
10:       ~SimpleCat();
11:  private:
12:       int itsAge;
13:  };
14:
15:  SimpleCat::SimpleCat()
16:  {
17:       cout << "Constructor called.\n";
18:       itsAge = 1;
19:  }
20:
21:  SimpleCat::~SimpleCat()
22:  {
23:       cout << "Destructor called.\n";
24:  }
25:
26:  int main()
27:  {
28:       cout << "SimpleCat Frisky...\n";
29:       SimpleCat Frisky;
30:       cout << "SimpleCat *pRags = new SimpleCat...\n";
31:       SimpleCat * pRags = new SimpleCat;
32:       cout << "delete pRags...\n";
33:       delete pRags;
34:       cout << "Exiting, watch Frisky go...\n";
35:       return 0;
36:  }
```

Resultaat

```
SimpleCat Frisky...
Constructor called.
SimpleCat * pRags = new SimpleCat..
Constructor called.
delete pRags...
Destructor called.
Exiting, watch Frisky go...
Destructor called.
```

Op de regels 6 t/m 13 wordt een uitgeklede versie van de klasse
Cat, SimpleCat, gedeclareerd. Op regel 9 wordt de constructor van

SimpleCat gedeclareerd. De regels 15 t/m 19 bevatten de definitie. Op regel 10 wordt de destructor van SimpleCat gedeclareerd. De regels 21 t/m 24 bevatten de definitie. Op regel 29 wordt Frisky in de stack gemaakt, waardoor de constructor wordt aangeroepen. Op regel 31 wordt de SimpleCat waar pRags naar wijst in de heap gemaakt. De constructor wordt opnieuw aangeroepen. Op regel 33 wordt delete voor pRags aangeroepen en wordt de destructor aangeroepen. Wanneer de functie eindigt, verdwijnt Frisky uit de scope en wordt de destructor aangeroepen.

TOEGANG TOT DATALEDEN

Bij lokaal gemaakte Cat-objecten hebt u dataleden en functies met de punt-operator (.) benaderd. Om in het vrije geheugen toegang tot het object Cat te krijgen, moet u de waarde op het door de pointer bewaarde adres ophalen (dereferentie) en de punt-operator aanroepen voor het object waarnaar de pointer wijst. Als u toegang tot de lidfunctie GetAge wilt, schrijft u dus:

```
(*pRags).GetAge();
```

De haakjes dienen om ervoor te zorgen dat er dereferentie op pRags wordt toegepast voordat er toegang tot GetAge() wordt gezocht.

Omdat dit lastig is, voorziet C++ in een verkorte schrijfwijze voor indirecte toegang: de operator voor 'wijst naar' (->), die is opgebouwd uit het koppelteken (-) en het groterdanteken (>). C++ beschouwt deze twee tekens in dit geval als één symbool.

DATALEDEN IN HET VRIJE GEHEUGEN

Eén of meerdere dataleden van een klasse kunnen een pointer naar een object in het vrije geheugen zijn. Het geheugen kan worden toegewezen in de constructor van de klasse of in één van de methoden van de klasse. Het kan worden gewist in de destructor. Zie programma 13.2 voor een voorbeeld.

Programma 13.2 Pointers als dataleden

```
1:    // Programma 13.2:
2:    // Pointers als dataleden
3:
4:    #include <iostream.h>
```

Programma 13.2 Vervolg

```
5:
6:     class SimpleCat
7:     {
8:     public:
9:         SimpleCat();
10:        ~SimpleCat();
11:        int GetAge() const { return *itsAge; }
12:        void SetAge(int age) { *itsAge = age; }
13:
14:        int GetWeight() const { return *itsWeight; }
15:        void setWeight (int weight){ *itsWeight = weight; }
16:
17:    private:
18:        int * itsAge;
19:        int * itsWeight;
20:    };
21:
22:    SimpleCat::SimpleCat()
23:    {
24:        itsAge = new int(2);
25:        itsWeight = new int(5);
26:    }
27:
28:    SimpleCat::~SimpleCat()
29:    {
30:        delete itsAge;
31:        delete itsWeight;
32:    }
33:
34:    int main()
35:    {
36:        SimpleCat *pFrisky = new SimpleCat;
37:        cout << "pFrisky is " << pFrisky->GetAge()
            << " years old\n";
38:        pFrisky->SetAge(5);
39:        cout << "pFrisky is " << pFrisky->GetAge()
            << " years old\n";
40:        delete pFrisky;
41:        return 0;
42:    }
```

`Resultaat`

```
pFrisky is 2 years old
pFrisky is 5 years old
```

De klasse `SimpleCat` is gedeclareerd met twee lidvariabelen op de regels 18 en 19, die beide pointers naar integers zijn. De constructor (regels 22 t/m 26) initialiseert de pointers naar het vrije geheugen en naar de standaardwaarden.

De destructor (regels 28 t/ 32) ruimt het toegewezen geheugen op. Omdat het hier de destructor betreft, heeft het geen zin om `null` aan deze pointers toe te kennen, want ze zijn niet langer toegankelijk. Dit is één van de plaatsen waar u de regel dat aan gewiste pointers `null` moet worden toegekend, veilig kunt overtreden. Het kan echter geen kwaad om de regel toch toe te passen.

De aanroepende functie – in dit geval `main()` – is zich er niet van bewust dat `itsAge` en `itsWeight` pointers naar het geheugen in het vrije bereik zijn. `main()` gaat gewoon door met het aanroepen van `GetAge()` en `SetAge()`, en de details van het geheugenbeheer blijven verborgen in de implementatie van de klasse, zoals het hoort.

Wanneer `pFrisky` op regel 40 wordt gewist, wordt de destructor van `pFrisky` aangeroepen. De destructor wist alle lidpointers. Als deze op hun beurt naar objecten van andere door de gebruiker gedefinieerde klassen wijzen, worden hun destructors ook aangeroepen.

DE `this`-POINTER

Elke lidfunctie van een klasse kent een verborgen parameter: de `this`-pointer. `this` verwijst naar het individuele object. Daarom is de `this`-pointer voor het object in elke aanroep van `GetAge()` of `SetAge()` als een verborgen parameter aanwezig.

Het is de taak van deze `this`-pointer te wijzen naar het object waarvan de lidfunctie is aangeroepen. Doorgaans roept u alleen lidfuncties aan en stelt u lidvariabelen in. Af en toe moet u echter toegang tot het object zelf hebben. Op zulke momenten komt de `this`-pointer van pas.

Normaal hebt u de `this`-pointer niet nodig om vanuit de methoden van een object toegang tot de lidvariabelen van dat object te krijgen. Indien gewenst kunt u de `this`-pointer echter expliciet aanroepen. Dit wordt gedaan in programma 13.3 om te laten zien dat de `this`-pointer bestaat en functioneert.

Programma 13.3   De this-pointer toepassen

```
1:    // Programma 13.3:
2:    // De this-pointer toepassen
3:
4:    #include <iostream.h>
5:
6:    class Rectangle
7:    {
8:    public:
9:       Rectangle();
10:      ~Rectangle();
11:       void SetLength(int length){ this->itsLength = length; }
12:       int GetLength() const { return this->itsLength; }
13:
14:       void SetWidth(int width) { itsWidth = width; }
15:       int GetWidth() const { return itsWidth; }
16:
17:    private:
18:       int itsLength;
19:       int itsWidth;
20:    };
21:
22:    Rectangle::Rectangle()
23:    {
24:       itsWidth = 5;
25:       itsLength = 10;
26:    }
27:    Rectangle::~Rectangle()
28:    {}
29:
30:    int main()
31:    {
32:      Rectangle theRect;
33:      cout << "theRect is " << theRect.GetLength();
34:         cout << " feet long.\n";
35:      cout << "theRect is ";
36:       cout << theRect.GetWidth() << " feet wide.\n";
37:       theRect.SetLength(20);
38:       theRect.SetWidth(10);
39:       cout << "theRect is " << theRect.GetLength();
40:          cout << " feet long.\n";
41:       cout << "theRect is ";
42:          cout << theRect.GetWidth() << " feet wide.\n";
```

```
44:    return 0;
45:  }
```

Resultaat

```
theRect is 10 feet long
theRect is 5 feet long
theRect is 20 feet long
theRect is 10 feet long
```

De accessor-functies SetLength() en GetLength() gebruiken de this-pointer expliciet om toegang tot de lidvariabelen van het object Rectangle te krijgen. De accessors SetWidth en GetWidth doen dat niet. Er is geen verschil in hun gedrag, hoewel de versies die de this-pointer niet gebruiken gemakkelijker kunnen worden begrepen.

WAARVOOR IS DE this-POINTER?

Als dat alles was wat de this-pointer inhield, zou het weinig zin hebben u ermee lastig te vallen. De this-pointer is echter een pointer, wat betekent dat het geheugenadres van een object er in wordt bewaard. Om die reden kan het een handig hulpmiddel zijn.

Wat het praktische nut van de this-pointer is, ziet u later in dit boek, bij de bespreking van *operator-overloading*. Voorlopig is het genoeg dat u de this-pointer kent en weet wat een this-pointer is: een pointer naar het object zelf.

U hoeft zich niet bezig te houden met het maken of wissen van this-pointers. Daarvoor zorgt de compiler.

ZWERVENDE OF ONDUIDELIJKE POINTERS

Een onaangename en moeilijk op te sporen bron van bugs zijn zwervende (*stray*) pointers. Een zwervende pointer ontstaat wanneer u delete voor een pointer aanroept – en zo het geheugen vrijmaakt waar de pointer naar wijst – en de pointer later opnieuw probeert te benutten zonder er een nieuw adres aan toe te kennen. De pointer wijst dan nog steeds naar het oude geheugenadres, maar het staat de compiler vrij om daar andere gegevens te plaatsen. Hierdoor kan de pointer, als deze wordt gebruikt, het programma laten vastlopen. Of, wat nog erger is, het programma kan vrolijk zijn weg vervolgen en pas enkele minuten later vastlopen.

Dit wordt een tijdbom genoemd en is niet leuk. Voor de zekerheid dient u een pointer na het wissen op `null` (0) in te stellen. Zo wordt de pointer onschadelijk gemaakt.

`const` POINTERS

U kunt het gereserveerde woord `const` bij pointers vóór het type, na het type of op beide plaatsen gebruiken. Alle declaraties hieronder zijn bijvoorbeeld geldig:

```
const int * pOne;
int * const pTwo;
const int * const pThree;
```

pOne is een pointer die naar een constante integer wijst. De waarde waarnaar wordt gewezen kan met deze pointer niet worden gewijzigd. Dat betekent dat u het volgende niet mag schrijven:

```
*pOne = 5
```

Als u dat toch probeert te doen, maakt de compiler daar bezwaar tegen met een foutbericht.

pTwo is een constante pointer die naar een integer wijst. De integer kan worden gewijzigd, maar pTwo kan nergens anders naar wijzen. Een constante pointer kan niet opnieuw worden toegekend. Dat betekent dat u het volgende niet mag schrijven:

```
PTwo = &x
```

pThree is een constante pointer die naar een constante integer wijst. De waarde waarnaar wordt gewezen kan niet worden gewijzigd, en pThree kan niet zodanig worden gewijzigd dat deze pointer ergens anders naar wijst.

Trek meteen rechts van het sterretje een denkbeeldige verticale lijn. Als het woord `const` zich links van deze lijn bevindt, betekent dit dat het object constant is. Als het woord `const` zich rechts van de lijn bevindt, is de pointer zelf constant.

```
const int * p1;  // p1 kan niet worden gebruikt om de waarde of de
int waarnaar p1 wijst te wijzigen
int * const p2;  //p2 kan niet zo worden ingesteld dat p2 ergens an-
ders naar wijst
```

Als u een pointer declareert die naar een const-object wijst, kunt u alleen const-methoden met die pointer aanroepen.

DE COMBINATIE const EN this BIJ POINTERS

Wanneer u een object declareert dat const is, declareert u in feite dat de this-pointer een pointer is die naar een const-object wijst. Een pointer waarbij de woorden const en this zijn gebruikt mag alleen voor const-lidfuncties worden benut.

Constante objecten en constante pointers worden verder besproken in de volgende lessen, waarin referenties naar constante objecten worden behandeld.

In deze les hebt u geleerd hoe u met pointers toegang tot dataleden en methoden kunt krijgen. Daarnaast hebt u de this-pointer leren kennen.

REFERENTIES

14

In deze les leert u wat referenties zijn, hoe referenties van pointers verschillen, hoe u referenties maakt en toepast, wat de beperkingen van referenties zijn, en hoe u waarden en objecten door middel van referentie aan en vanuit functies kunt doorgeven.

WAT IS EEN REFERENTIE?

Referenties geven u bijna dezelfde mogelijkheden als pointers, maar met een veel eenvoudiger syntaxis. Een *referentie* is een alias. Wanneer u een referentie maakt, initialiseert u deze met de naam van een ander object, het doel. Vanaf dat ogenblik fungeert de referentie als een alternatieve naam voor het doel. Alles wat u met de referentie doet, gebeurt in werkelijkheid met het doel.

Dat is alles. Sommige C++-programmeurs zullen u vertellen dat referenties pointers zijn. Dat is onjuist. Hoewel referenties vaak met behulp van pointers worden ingevoerd, is dat alleen van belang voor de ontwerpers van compilers. Als programmeur moet u onderscheid tussen de twee concepten maken.

Pointers zijn variabelen die het adres van een ander object bevatten. Een referentie is een alias voor een andere referentie.

EEN REFERENTIE MAKEN

U maakt een referentie door het type van het doelobject te typen, gevolgd door de reference-operator (&), gevolgd door de naam van de referentie. Referenties kunnen elke geldige naam voor een variabele gebruiken, maar in dit boek worden alle referentienamen voorafgegaan door r. Als u dus een integer-variabele met de naam someInt hebt, kunt u een referentie naar die variabele maken door het volgende te schrijven:

```
int &rSomeRef = someInt;
```

Dit kunt u lezen als: 'rSomeRef is een referentie naar een integer die is geïnitialiseerd om naar someInt te verwijzen.'

Zelfs ervaren programmeurs, die weten dat referenties niet opnieuw mogen worden toegekend en altijd een alias voor hun doel zijn, kunnen in de war raken door wat er gebeurt wanneer een referentie toch opnieuw wordt toegekend. Hoewel het om een nieuwe toewijzing lijkt te gaan, wordt er in werkelijkheid een nieuwe waarde aan het doel toegekend. Van dit feit wordt in programma 14.1 een voorbeeld getoond.

Programma 14.1 Een toekenning aan een referentie

```
1:   //Programma 14.1:
2:   //Opnieuw aan een referentie toekennen
3:
4:   #include <iostream.h>
5:
6:   int main()
7:   {
8:       int intOne;
9:       int &rSomeRef = intOne;
10:
11:      intOne = 5;
12:      cout << "intOne:\t" << intOne << endl;
13:      cout << "rSomeRef:\t" << rSomeRef << endl;
14:      cout << "&intOne:\t" << &intOne << endl;
15:      cout << "&rSomeRef:\t" << &rSomeRef << endl;
16:
17:      int intTwo = 8;
18:      rSomeRef = intTwo;  // niet wat u denkt!
19:      cout << "\nintOne:\t" << intOne << endl;
20:      cout << "intTwo:\t" << intTwo << endl;
21:      cout << "rSomeRef:\t" << rSomeRef << endl;
22:      cout << "&intOne:\t" << &intOne << endl;
23:      cout << "&intTwo:\t" << &intTwo << endl;
24:      cout << "&rSomeRef:\t" << &rSomeRef << endl;
25:      return 0;
26:   }
```

Resultaat

```
intOne:     5
rSomeRef:   5
&intOne:    0x0012FF7C
&rSomeRef:  0x0012FF7C
```

```
intOne:     8
intTwo:     8
rSomeRef:   8

&intOne:    0x0012FF7C
&intTwo:    0x0012FF74
&rSomeRef:  0x0012FF7C
```

Op de regels 8 en 9 worden een integer-variabele en een referentie naar een integer gedeclareerd. Aan de integer wordt op regel 11 de waarde 5 toegekend. De waarden en hun adressen worden op de regels 12 t/m 15 afgedrukt.

Op regel 17 wordt een nieuwe variabele, intTwo, gemaakt, waaraan de beginwaarde 8 wordt gegeven. Op regel 18 probeert de programmeur rSomeRef opnieuw toe te wijzen, zodat deze referentie een alias van de variabele intTwo wordt. Dit is echter niet wat er gebeurt. Wat er feitelijk gebeurt, is dat rSomeRef als alias van intOne blijft fungeren, waardoor deze toekenning eigenlijk overeenkomt met het volgende:

```
intOne = intTwo;
```

Wanneer de waarden van intOne en rSomeRef worden afgedrukt (regels 19 t/m 21), blijken ze inderdaad gelijk te zijn aan intTwo. Wanneer de adressen op de regels 22 t/m 24 worden afgedrukt, blijkt zelfs dat rSomeRef nog steeds naar intOne, en dus niet naar intTwo, verwijst.

WAARVOOR KAN EEN REFERENTIE WORDEN GEBRUIKT?

Naar elk object kan een referentie worden gemaakt, ook naar door de gebruiker gedefinieerde objecten.

Een referentie naar een object wordt op dezelfde manier als het object zelf gebruikt. Toegang tot lidgegevens en methoden wordt met de gewone toegangsoperator voor klasseleden verkregen (.), en net zoals bij de ingebouwde typen fungeert de referentie als een alias voor het object.

Null-pointers en null-referenties

Wanneer pointers geen beginwaarde krijgen, of wanneer ze worden gewist, horen ze de waarde null (0) te krijgen. Dit is niet het geval bij referenties. In feite mag een referentie niet nul zijn, en een programma met een referentie naar een null-object wordt als een ongeldig programma beschouwd. Wanneer een programma ongeldig is, kan er van alles gebeuren. Het kan blijken te werken of het kan alle bestanden op de vaste schijf wissen.

De meeste compilers ondersteunen een null-object zonder veel problemen en lopen pas vast als u het object op de één of andere manier tracht te gebruiken. Het is echter geen goed idee hier gebruik van te maken. Wanneer u het programma naar een andere computer of compiler overbrengt, kunnen er geheimzinnige bugs optreden als u null-objecten hebt.

Functie-argumenten doorgeven
via referenties

In les 6, 'Functies', hebt u gezien dat functies aan twee beperkingen onderhevig zijn: argumenten worden als waarde ingevoerd (*passing by value*) en het return-statement kan slechts één waarde als uitkomst hebben.

Als u waarden als referenties aan een functie doorgeeft, kunt u deze beide beperkingen omzeilen. In C++ kunt u dit op twee manieren bereiken: met pointers en met referenties. De syntaxis verschilt, maar het nettoresultaat is hetzelfde: in plaats van dat er een kopie binnen de *scope* van de functie wordt gemaakt, wordt het originele object in de functie ingevoerd.

Als een object als referentie wordt ingevoerd, kan de functie het object waaraan wordt gerefereerd wijzigen.

In programma 14.2 wordt een swap-functie gemaakt, waarbij de parameters als waarden worden ingevoerd.

Programma 14.2 Een voorbeeld van doorgeven als waarde

```
1:    //Programma 14.2: Doorgeven als waarde
2:
3:    #include <iostream.h>
4:
5:    void swap(int x, int y);
6:
7:    int main()
8:    {
9:        int x = 5, y = 10;
10:
11:       cout << "Main. Before swap, x: " << x << " y: " << y << "\n";
12:       swap(x,y);
13:       cout << "Main. After swap, x: " << x << " y: " << y << "\n";
14:       return 0;
15:   }
16:
17:   void swap (int x, int y)
18:   {
19:       int temp;
20:
21:       cout << "Swap. Before swap, x: " << x << " y: " << y << "\n";
22:
23:   temp = x;
24:   x = y;
25:   y = temp;
26:
27:   cout << "Swap. After swap, x: " << x << " y: " << y << "\n";
28:
29:   }
```

Resultaat

```
Main. Before swap. x: 5 y: 10
Swap. Before swap. x: 5 y: 10
Swap: After swap. x: 10 y: 5
Main. After swap. x: 5 y: 10
```

In dit programma worden twee variabelen in main() geïnitialiseerd, waarna ze aan de functie swap() worden doorgegeven. Deze functie wisselt de variabelen schijnbaar om. Wanneer ze echter opnieuw in main() worden bekeken, blijken ze onveranderd!

Het probleem hier is dat x en y als waarde aan de functie swap() worden doorgegeven. Er zijn dus lokale kopieën in de functie gemaakt. U kunt x en y hier beter als referentie doorgeven.

Er zijn in C++ twee methoden om dit probleem op te lossen: u kunt van de parameters van swap() pointers maken die naar de oorspronkelijke waarden wijzen, of u kunt referenties naar de oorspronkelijke waarden doorgeven.

DE FUNCTIE swap() TOEPASSEN MET POINTERS

Wanneer u een pointer doorgeeft, geeft u het adres van het object door, waarna de functie de waarde op dat adres kan manipuleren. Om swap() de werkelijke waarden met behulp van pointers te laten verwisselen, moet bij de declaratie van swap() worden aangegeven dat swap() twee int-pointers accepteert. Door dereferentie van de pointers worden de waarden van x en y feitelijk verwisseld. Programma 14.3 laat zien hoe dit in zijn werk gaat.

Programma 14.3 Doorgeven als referentie m.b.v. pointers

```
1:    //Programma 14.3: Doorgeven als referentie met pointers
2:
3:    #include <iostream.h>
4:
5:    void swap(int *x, int *y);
6:
7:    int main()
8:    {
9:       int x = 5, y = 10;
10:
11:      cout << "Main. Before swap, x: " << x << " y: " << y << "\n";
12:      swap(&x,&y);
13:      cout << "Main. After swap, x: " << x << " y: " << y << "\n";
14:      return 0;
15:   }
16:
17:   void swap (int *px, int *py)
18:   {
19:      int temp;
20:
21:      cout << "Swap. Before swap, *px: ";
22:      cout << *px << " *py: " << *py << "\n";
23:
24:   temp = *px;
25:   *px = *py;
26:   *py = temp;
```

```
27:
28:   cout << "Swap. After swap, *px: "
29:   cout << *px << " " *py: " << *py << "\n";
30:
31:   }
```

Resultaat

```
Main. Before swap, x: 5 y: 10
Swap. Before swap, *px: 5 *py: 10
Swap. After swap, *px: 10 *py: 5
Main. After swap, x: 10 y: 5
```

Succes! Op regel 5 wordt het prototype van swap() gewijzigd om aan te geven dat de twee parameters pointers naar het type int zijn, en dus geen variabelen van het type int. Wanneer swap() op regel 12 wordt aangeroepen, worden de adressen van x en y als de argumenten ingevoerd.

Op regel 19 wordt een lokale variabele temp in de functie swap() gedeclareerd. temp hoeft geen pointer te zijn. temp bewaart alleen de waarde van *px (dat wil zeggen, de waarde van x in de aanroepende functie) zolang de functie bestaat. Nadat de functie een resultaat heeft afgegeven, is temp niet langer nodig.

Op regel 24 wordt de waarde waar px naar wijst aan temp toegekend. Op regel 25 wordt de waarde die in temp is opgeborgen (dat wil zeggen, de oorspronkelijke waarde waar px naar wijst) in py geplaatst.

Het nettoresultaat hiervan is dat de waarden in de aanroepende functie, waarvan het adres aan swap() is doorgegeven, zijn verwisseld.

DE FUNCTIE swap() MET REFERENTIES IMPLEMENTEREN

Het voorgaande programma werkt, maar de syntaxis van de functie swap() is op twee manieren storend. Ten eerste omdat de steeds herhaalde dereferentie van de pointers in de functie swap() de functie vatbaar voor fouten en moeilijk leesbaar maakt. Ten tweede omdat de noodzaak het adres van de variabelen aan de aanroepende functie door te geven, de werking van swap() wel erg zichtbaar maakt voor de gebruikers.

Het is één van de doelen van C++ juist te voorkomen dat de gebruiker van een functie zich ermee bezig moet houden hoe de functie werkt. Bij doorgeven via pointers wordt de last bij de aanroepende functie gelegd, waar deze hoort, in plaats van bij de aangeroepen functie. In programma 14.4 is de functie swap() herschreven met gebruik van referenties.

Programma 14.4 swap() herschreven met referenties

```
1:   //Programma 14.3: Doorgeven als referentie
2:   // met referenties!
3:
4:   #include <iostream.h>
5:
6:   void swap(int *x, int *y);
7:
8:   int main()
9:   {
10:      int x = 5, y = 10;
11:
12:      cout << "Main. Before swap, x: " << x << " y: " << y << "\n";
13:      swap(x,y);
14:      cout << "Main. After swap, x: " << x << " y: " << y << "\n";
15:      return 0;
16:   }
17:
18:  void swap (int &rx, int &ry)
19:   {
20:      int temp;
21:      cout << "Swap. Before swap, rx: ";
22:      cout << rx << " ry: " << ry << "\n";
23:
24:  temp = rx;
25:  rx = ry;
26:  ry = temp;
27:  cout << "Swap. After swap, rx: "
28:  cout << rx << " ry: " << ry << "\n";
29:
30:   }
```

Resultaat
```
Main. Before swap, x: 5 y: 10
Swap. Before swap, rx: 5 ry: 10
Swap. After swap, rx: 10 ry: 5
Main. After swap, x: 10 y: 5
```

Net zoals in het voorbeeld met pointers, worden er twee variabelen gedeclareerd (op regel 10), waarvan de waarden op regel 12 naar het scherm worden afgedrukt. Op regel 13 wordt de functie swap() aangeroepen, maar neem er nota van dat x en y worden ingevoerd en niet hun adressen. De aanroepende functie voert gewoon de variabelen in.

Wanneer swap() is aangeroepen, springt de uitvoering van het programma naar regel 18, waar de variabelen als referenties worden aangeduid. Hun waarden worden op de regels 21 en 22 afgedrukt, maar neem er nota van dat er geen bijzondere operatoren nodig zijn. Dit zijn aliassen voor de originele waarden, die als de originele waarden kunnen worden gebruikt.

Op de regels 24 t/m 26 worden de waarden verwisseld, waarna ze op de regels 27 en 28 worden afgedrukt. De programma-uitvoering springt terug naar de aanroepende functie, en op regel 14 worden de waarden naar het scherm afgedrukt in main(). Omdat de parameters voor swap() als referenties zijn gedeclareerd, worden de waarden van main() doorgegeven als referenties en daarom ook in main() gewijzigd.

Referenties combineren het gebruiksgemak van normale variabelen met de doeltreffendheid en invoermogelijkheden van pointers.

MEERDERE WAARDEN AFLEVEREN

Zoals eerder besproken, kunnen functies maar één waarde afleveren. Wat moet er gebeuren als u twee waarden als resultaat van een functie wilt hebben? Dit probleem kan bijvoorbeeld worden opgelost door twee objecten, als referentie, aan de functie door te geven. De functie kan daarna de juiste waarden voor de objecten invullen. Omdat een functie de originele objecten bij doorgeven als referentie kan wijzigen, kan de functie in feite twee stukjes informatie afleveren. Door deze aanpak kan aan de return-waarde van de functie voorbij worden gegaan, die dan voor rapportagefouten kan worden gereserveerd.

Dit kan opnieuw met referenties of pointers worden gedaan. Programma 14.5 is een voorbeeld van een functie die drie waarden als resultaat geeft: twee als pointer-parameters en één als de return-waarde van de functie.

Programma 14.5 Waarden afleveren met pointers

```
1:    //Programma 14.5
2:    //Een functie meerdere waarden laten afleveren
3:
4:    #include <iostream.h>
5:
6:
7:
8:    short Factor(int, int*, int*);
9:
10:   int main()
11:   {
12:      int number, squared, cubed;
13:      short error;
14:
15:      cout << "Enter a number (0 - 20): " ;
16:      cin >> number;
17:
18:      error = Factor(number, &squared, &cubed);
19:
20:      if (!error)
21:      {
22:         cout << "number: " << number << "\n";
23:         cout << "square: " << squared << "\n";
24:         cout << "cubed: " << cubed << "\n";
25:      }
26:      else
27:         cout << "Error encountered!!\n";
28:      return 0
29:   }
30:
31:   short Factor(int n, int *pSquared, int *pCubed)
32:   {
33:      short value = 0;
34:      if (n > 20)
35:         Value = 1;
36:      else
37:      {
38:         *pSquared = n*n;
39:         *pCubed = n*n*n;
40:         Value = 0;
41:      }
42:      return Value;
43:   }
```

```
Enter a number (0-20): 3
number: 3
square: 9
cubed: 27
```

Op regel 12 zijn number, squared en cubed gedefinieerd als int. Aan number wordt een waarde toegewezen op basis van de invoer van de gebruiker. Dit getal en het adres van squared en cubed worden aan de functie Factor() doorgegeven.

Factor() kijkt naar de eerste parameter, die als waarde is doorgegeven. Als de waarde groter is dan 20 (de maximumwaarde die deze functie kan afhandelen), wordt return Value op een eenvoudige foutwaarde ingesteld. Neem er nota van dat de return-waarde van Function() voor deze foutwaarde of de waarde 0 is gereserveerd, waarbij het laatste aangeeft dat alles goed is gegaan. Merk ook op dat de functie deze waarde op regel 42 aflevert.

De vereiste werkelijke waarden, number in het kwadraat (squared) en de derdemacht (cubed) van number, worden niet met behulp van het return-mechanisme afgeleverd, maar door de pointers te wijzigen die aan de functie zijn doorgegeven.

Op de regels 38 en 39 worden return-waarden aan de pointers toegewezen. Op regel 40 wordt de succeswaarde aan return Value toegekend. Op regel 42 wordt return Value afgeleverd.

Dit programma zou kunnen worden verbeterd door het volgende te declareren:

```
enum ERROR_VALUE { SUCCESS, FAILURE };
```

Hierna zou het programma in plaats van 0 of 1 de woorden SUC-CESS of FAILURE kunnen afleveren.

WAARDEN AFLEVEREN DOOR TOEPASSING VAN REFERENTIES

Hoewel programma 14.5 werkt, kan het leesbaarder en onderhoudsvriendelijker worden gemaakt door in plaats van pointers referenties te gebruiken. Programma 14.6 is hetzelfde programma als 14.5 maar herschreven voor de toepassing van referenties en het enumeratietype ERR_CODE.

Programma 14.6 Programma 14.5 herschreven met gebruik van referenties

```
1:    //Programma 14.6
2:    //Een functie meerdere waarden laten afleveren
3:    // met behulp van referenties
4:
5:    #include <iostream.h>
6:
7:
8:    enum ERR_CODE { SUCCESS, ERROR };
9:
10:   ERR_CODE Factor(int, int&, int&);
11:
12:   int main()
13:   {
14:      int number, squared, cubed;
15:      ERR_CODE result;
16:
17:      cout << "Enter a number (0 - 20): ";
18:      cin >> number;
19:
20:      result = Factor(number, squared, cubed);
21:
22:      if (result == SUCCESS)
23:      {
24:         cout << "number: " << number << "\n";
25:         cout << "square: " << squared << "\n";
26:         cout << "cubed: " << cubed << "\n";
27:      }
28:      else
29:         cout << "Error encountered!!\n";
30:      return 0
31:   }
32:
33:   ERR_CODE Factor(int n, int &rSquared, int &rCubed)
34:   {
35:      if (n > 20)
36:         return ERROR; //simpele foutcode
37:      else
38:      {
39:         rSquared = n*n;
40:         rCubed = n*n*n;
```

```
41:       return SUCCESS;
42:    }
43:  }
```

Resultaat

```
Enter a number

  (0-20): 3
number: 3
square: 9
cubed: 27
```

Programma 14.6 is identiek aan 14.5, met twee uitzonderingen. De toepassing van het enumeratietype ERR_CODE verduidelijkt de foutrapportage op de regels 36 en 41 en de foutafhandeling op regel 22.

Een grotere wijziging is echter dat Factor() zodanig is gedeclareerd dat deze functie referenties naar squared en cubed accepteert, in plaats van referenties naar pointers. Hierdoor wordt de manipulatie van deze parameters veel gemakkelijk te begrijpen.

In deze les hebt u geleerd hoe u referenties toepast en hoe u doorgeeft als referentie met behulp van referentieparameters of pointers.

GEAVANCEERDE REFERENTIES EN POINTERS

- 15 -

In deze les leert u hoe als referentie doorgeeft, hoe u besluit referenties of pointers te gebruiken, hoe u geheugenproblemen bij de toepassing van pointers kunt vermijden en hoe u valkuilen bij het gebruik van referenties kunt vermijden.

DOORGEVEN ALS REFERENTIE VOOR DOELMATIGHEID

Elke keer dat een object als waarde aan een functie wordt doorgegeven, wordt een kopie van het object gemaakt. Elke keer dat een object als waarde wordt afgeleverd wordt er opnieuw een kopie gemaakt.

Bij grotere, door gebruikers gemaakte objecten kleven er aanzienlijke bewaren aan deze kopieën. U gebruikt meer geheugen dan echt nodig is en uiteindelijk wordt uw programma trager uitgevoerd.

De grootte van een door gebruikers gemaakt object in de stack is de som van alle lidvariabelen. Deze kunnen op hun beurt door de gebruiker gemaakte objecten zijn. Een dergelijke omvangrijke structuur doorgeven door deze in de stack te kopiëren kan heel veel prestatie en geheugen kosten.

Er is nog een ander bezwaar. Bij de klassen die u creëert worden deze tijdelijke kopieën gemaakt wanneer de compiler een speciale constructor aanroept: de *copy-constructor*. In les 16, 'Geavanceerde functies', leert u hoe copy-constructors functioneren en hoe u er zelf een kunt maken. Voorlopig is het voldoende dat u weet dat de copy-constructor steeds wordt aangeroepen wanneer er een tijdelijke kopie van het object in de stack wordt geplaatst.

Wanneer het tijdelijke object is vernietigd (dit gebeurt wanneer de functie een waarde aflevert), wordt de destructor van het object aangeroepen. Als een object als waarde wordt afgeleverd, moet er ook een kopie van dat object worden gemaakt en vernietigd.

Bij grote objecten kunnen deze aanroepen van constructor en destructor veel snelheid en geheugen kosten. Bij wijze van voorbeeld wordt er in programma 15.1 een uitgekleed, door de gebruiker gemaakt object gemaakt: SimpleCat. Een echt object zou groter en belastender zijn, maar dit voorbeeld is genoeg om u te laten zien hoe vaak de copy-constructor en de destructor worden aangeroepen.

Programma 15.1 creëert het object SimpleCat en roept daarna twee functies aan. De eerste functie ontvangt Cat als waarde en levert Cat af als waarde. De tweede functie accepteert een pointer naar het object, in plaats van het object zelf, en levert een pointer naar het object af.

Programma 15.1 Objecten als referentie doorgeven

```
1:   //Programma 15.1
2:   // Pointers aan objecten doorgeven
3:
4:   #include <iostream.h>
5:
6:   class SimpleCat
7:   {
8:   public:
9:       SimpleCat ();              // constructor
10:      SimpleCat(SimpleCat&);     // copy-constructor
11:      ~SimpleCat();              // destructor
12:   };
13:
14:  SimpleCat::SimpleCat()
15:  {
16:      cout << "Simple Cat Constructor...\n";
17:  }
18:
19:  SimpleCat::SimpleCat(SimpleCat& rhs)
20:  {
21:      cout << "Simple Cat Copy Constructor...\n";
22:  }
23:
```

```
24:   SimpleCat::~SimpleCat()
25:   {
26:       cout << "Simple Cat Destructor...\n";
27:   }
28:
29:   SimpleCat FunctionOne (SimpleCat theCat);
30:   SimpleCat* FunctionTwo (SimpleCat *theCat);
31:
32:   int main()
33:   {
34:       cout << "Making a cat...\n";
35:       SimpleCat Frisky;
36:       cout << "Calling FunctionOne...\n";
37:       FunctionOne(Frisky);
38:       cout << "Calling FunctionTwo...\n";
39:       FunctionTwo(&Frisky);
40:       return 0;
41:   }
42:
43:   // FunctionOne, doorgeven als waarde
44:   SimpleCat FunctionOne(SimpleCat theCat)
45:   {
46:       cout << "Function One. Returning...\n";
47:       return theCat;
48:   }
49:
50:   // functionTwo, doorgeven als referentie
51:   SimpleCat* FunctionTwo (SimpleCat  *theCat)
52:   {
53:       cout << "Function Two. Returning...\n";
54:       return theCat;
55:   }
```

`Resultaat`

```
1:  Making a cat...
2:  Simple Cat Constructor...
3:  Calling FunctionOne...
4:  Simple Cat Copy Constructor...
5:  Function One. Returning...
6:  Simple Cat Copy Constructor...
7:  Simple Cat Destructor...
8:  Simple Cat Destructor...
9:  Calling FunctionTwo...
10: Function Two. Returning...
11: Simple Cat Destructor...
```

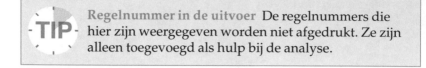

De sterk vereenvoudigde klasse SimpleCat wordt op de regels 6 t/m 12 gedeclareerd. De constructor, copy-constructor en destructor drukken alle een informatief bericht af, zodat u weet wanneer ze zijn aangeroepen.

Op regel 34 drukt main() een bericht af. U kunt het op regel 1 van de uitvoer zien. Op regel 35 wordt het object SimpleCat gerealiseerd. Hierbij wordt de constructor aangeroepen. De uitvoer van de constructor wordt op regel 2 weergegeven. ·

Op regel 36 rapporteert main() dat FunctionOne() wordt aangeroepen, wat op regel 3 van de uitvoer wordt aangegeven. Omdat bij het aanroepen van FunctionOne() het object SimpleCat als waarde wordt doorgegeven, wordt er een kopie van het object SimpleCat in de stack gemaakt. Deze kopie is een lokaal object voor de aangeroepen functie. Hierbij wordt de copy-constructor aangeroepen, wat op regel 4 van de uitvoer wordt aangegeven.

De uitvoering van het programma springt naar regel 45 in de aangeroepen functie, die een informatief bericht afdrukt: regel 5 van de uitvoer. De functie levert vervolgens het object SimpleCat als waarde af. Hierbij wordt er nog een kopie van het object gemaakt, waarvoor de copy-constructor wordt aangeroepen en regel 6 van de uitvoer wordt weergegeven.

De return-waarde van FunctionOne() is aan geen enkel object toegekend, zodat het tijdelijke object dat voor de aflevering is gemaakt kan worden weggegooid, waarbij de destructor wordt aangeroepen en regel 7 van de uitvoer wordt weergegeven. Omdat FunctionOne() is beëindigd, valt de lokale kopie van deze functie buiten de scope en wordt deze vernietigd, waarbij de destructor wordt aangeroepen en regel 8 wordt weergegeven.

De uitvoering van het programma keert terug naar main() en FunctionTwo() wordt aangeroepen, maar de parameter wordt als referentie doorgegeven. Er wordt geen kopie gemaakt en er is dus geen uitvoer. FunctionTwo() drukt het bericht af dat als regel 10

van de uitvoer wordt weergegeven en levert vervolgens het object
SimpleCat af, opnieuw als referentie, waarvoor opnieuw geen
aanroepen van constructor of destructor zijn vereist.

Ten slotte eindigt het programma, waardoor Frisky buiten de scope valt, waarbij er een laatste aanroep naar de destructor nodig is
en regel 11 van de uitvoer wordt afgedrukt.

Het nettoresultaat is dat de aanroep van FunctionOne(), waarbij
theCat als waarde is doorgegeven, twee aanroepen naar de copy-
constructor en twee naar de destructor heeft veroorzaakt, terwijl de
aanroep naar FunctionTwo() niet zulke aanroepen heeft veroorzaakt.

EEN const-POINTER DOORGEVEN

Hoewel het efficiënter is een pointer aan FunctionTwo() door te
geven, is dit ook riskanter. FunctionTwo() mag het object SimpleCat dat eraan is doorgegeven niet wijzigen, maar ontvangt wel
het adres van SimpleCat. Dit stelt het object bloot aan mogelijke
wijzigingen en doet de beveiliging teniet die bij doorgeven als
waarde wordt geboden.

Doorgeven als waarde is net zoiets als een foto van uw meesterwerk aan het museum geven, in plaats van het meesterwerk zelf.
Als de foto door vandalen wordt beschadigd, is er geen schade aan
het origineel. Doorgeven als referentie is net zoiets als uw adres
aan het museum geven en gasten thuis uitnodigen om het echte
voorwerp te komen bekijken.

De oplossing is een const-pointer aan SimpleCat doorgeven. Dit
voorkomt dat er een methode voor SimpleCat wordt aangeroepen
die niet const is, en beveiligt het object zo tegen wijzigingen.

REFERENTIES ALS ALTERNATIEF

Het gebruik van constante pointers is lastig en referenties bieden
een aantrekkelijk alternatief. Programma 15.2 verduidelijkt dit.

Programma 15.2   Referenties aan objecten doorgeven

```
1:    // Programma 15.2
2:    // Referenties aan objecten doorgeven
3:
4:    #include <iostream.h>
5:
6:    class SimpleCat
7:    {
8:    public:
9:        SimpleCat();
10:       SimpleCat(SimpleCat&);
11:       ~SimpleCat();
12:
13:       int GetAge() const { return itsAge; }
14:       void SetAge(int age) { itsAge = age; }
15:
16:    private:
17:        int itsAge;
18:    };
19:
20:    SimpleCat::SimpleCat()
21:    {
22:        cout << "Simple Cat Constructor...\n";
23:         itsAge = 1;
24:    }
25:
26:    SimpleCat::SimpleCat(SimpleCat&)
27:    {
28:        cout << "Simple Cat Copy Constructor...\n";
29:    }
30:
31:    SimpleCat::~SimpleCat()
32:    {
33:        cout << "Simple Cat Destructor...\n";
34:    }
35:
36:    const SimpleCat & FunctionTwo (const SimpleCat & theCat);
37:
38:    int main()
39:    {
40:        cout << "Making a cat...\n";
41:        SimpleCat Frisky;
```

```
42:        cout << "Frisky is " << Frisky.GetAge() << " years old\n";
43:        int age = 5;
44:        Frisky.SetAge(age);
45:        cout << "Frisky is " << Frisky.GetAge() << " years old\n";
46:        cout << "Calling FunctionTwo...\n";
47:        FunctionTwo(Frisky);
48:        cout << "Frisky is " << Frisky.GetAge() << " years old\n";
49:        return 0;
50:    }
51:
52:    // functionTwo geeft een ref door aan een const-object
53:    const SimpleCat & FunctionTwo (const SimpleCat & theCat)
54:    {
55:        cout << "Function Two. Returning...\n";
56:        cout << "Frisky is now " << theCat.GetAge();
57:        cout << " years old \n";
58:        // theCat.SetAge(8);   const!
59:        return theCat;
60:    }
```

Resultaat

```
Making a cat...
Simple Cat constructor...
Frisky is 1 years old
Frisky is 5 years old
Calling FunctionTwo
FunctionTwo. Returning...
Frisky is now 5 years old
Frisky is 5 years old
Simple Cat Destructor...
```

WANNEER GEBRUIKT U REFERENTIES EN WANNEER POINTERS?

C++-programmeurs geven sterk de voorkeur aan referenties boven pointers. Referenties zijn minder rommelig en gemakkelijker in het gebruik. Zoals u in het voorgaande voorbeeld zag, verbergen ze de informatie ook beter.

Referenties kunnen niet opnieuw worden toegekend. Als u eerst naar het ene object wilt wijzen en dan naar het andere, moet u een pointer gebruiken. Referenties mogen niet nul zijn. Als er dus een kans is dat het betreffende object nul is, mag u geen referentie gebruiken. Gebruik dan een pointer.

LEVER GEEN REFERENTIE AF BIJ EEN OBJECT DAT BUITEN DE SCOPE VALT

Nadat C++-programmeurs eenmaal hebben geleerd om referentie-parameters door te geven, hebben ze de neiging om door het dolle heen te raken. Het is echter mogelijk te overdrijven. Onthoud dat een referentie altijd een alias van een ander object is. Als u een referentieparameter in of uit een functie doorgeeft, moet u uzelf afvragen: 'Van welk object is dit de alias en bestaat het wel elke keer dat het wordt gebruikt?'

In programma 15.3 ziet u wat het gevaar is als een referentie wordt afgeleverd bij een object dat niet meer bestaat.

Programma 15.3   Een referentie afleveren bij een object dat niet meer bestaat

```
1:   // Programma 15.3:
2:   // Een referentie afleveren bij een object
3:   // dat niet meer bestaat
4:
5:   #include <iostream.h>
6:
7:   class SimpleCat
8:   {
9:   public:
10:      SimpleCat (int age, int weight);
11:      ~SimpleCat() {}
12:      int GetAge() const { return itsAge; }
13:      int GetWeight() const { return itsWeight; }
14:   private:
15:      int itsAge;
16:      int itsWeight;
17:   };
18:
19:   SimpleCat::SimpleCat(int age, int weight):
20:   itsAge(age), itsWeight(weight) {}
21:
22:   SimpleCat &TheFunction();
23:
24:   int main()
25:   {
26:      SimpleCat &rCat = TheFunction();
```

```
27:      int age = rCat.GetAge();
28:      cout << "rCat is " << age << " years old!\n";
29:      return 0;
30: }
31:
32: SimpleCat &TheFunction()
33:    {
34:       SimpleCat Frisky(5,9);
35:       return Frisky;
36:    }
```

Resultaat

```
Compile error: Attempting to return a
reference to a local object!
```

> **Incompatibele compiler** Dit programma kan niet op de Borland-compiler worden gecompileerd. Het kan wel op Microsoft-compilers worden gecompileerd. Het dient echter te worden opgemerkt dat het een onverstandige manier van programmeren betreft.

Op de regels 7 t/m 17 wordt SimpleCat gedeclareerd. Op regel 26 wordt een referentie naar SimpleCat geïnitialiseerd met de uitkomsten van het aanroepen van TheFunction(), die op regel 22 wordt gedeclareerd zodat er een referentie bij SimpleCat wordt afgeleverd.

De body van TheFunction() declareert een lokaal object van het type SimpleCat, en geeft een beginwaarde aan de leeftijd (age) en het gewicht (weight). Daarna wordt dat lokale object als referentie afgeleverd. Sommige compilers zijn slim genoeg om deze fout op te merken en laten u het programma niet uitvoeren. Andere laten u het programma wel uitvoeren, maar met onvoorspelbare resultaten.

Wanneer TheFunction() een resultaat aflevert, wordt het lokale object, Frisky, vernietigd (pijnloos, verzeker ik u). De referentie die door deze functie wordt afgeleverd is een alias van een niet-bestaand object, en dat is niet goed.

EEN REFERENTIE AFLEVEREN BIJ EEN OBJECT IN DE HEAP

U komt misschien in de verleiding het probleem in programma 15.3 op te lossen door TheFunction() Frisky in de heap te laten creëren. In dat geval bestaat Frisky nog steeds wanneer u terugkeert van de functie TheFunction().

Het probleem van deze aanpak is: wat doe u met het geheugen dat aan Frisky is toegewezen wanneer u ermee klaar bent? Programma 15.4 verduidelijkt dit probleem.

Programma 15.4 Geheugenlekken

```
1:   // Programma 15.4:
2:   // Problemen met geheugenlekken oplossen
3:   #include <iostream.h>
4:
5:   class SimpleCat
6:   {
7:   public:
8:       SimpleCat (int age, int weight);
9:       ~SimpleCat() {}
10:      int GetAge() const { return itsAge; }
11:      int GetWeight() const { return itsWeight; }
12:
13   private:
14:      int itsAge;
15:      int itsWeight;
16:  };
17:
18:  SimpleCat::SimpleCat(int age, int weight):
19:  itsAge(age), itsWeight(weight) {}
20:
21:  SimpleCat & TheFunction();
22:
23:  int main()
24:  {
25:      SimpleCat & rCat = TheFunction();
26:      int age = rCat.GetAge();
27:      cout << "rCat is " << age << " years old!\n";
28:      cout << "&rCat: " << &rCat << endl;
```

```
29:        // Hoe raakt u dat geheugen kwijt?
30:        SimpleCat * pCat = &rCat;
31:        delete pCat;
32:        // O, ja ja, en nu verwijst rCat naar??
33:        return 0;
34:   }
35:
36:  SimpleCat &TheFunction()
37:   {
38:        SimpleCat * pFrisky = new SimpleCat(5,9);
39:        cout << "pFrisky: " << pFrisky << endl;
40:        return *pFrisky;
41:   }
```

Resultaat

```
pFrisky: 0x00431CA0
rCat is 5 years old!
&rCat: 0x00431CA0
```

Een werkend maar fout programma Dit programma kan worden gecompileerd, gelinkt en lijkt te werken. Het is echter een tijdbom die ieder ogenblik kan ontploffen.

De functie TheFunction() is zodanig gewijzigd dat er niet langer een referentie bij een lokale variabele wordt afgeleverd. Er is geheugen in het vrije geheugen toegewezen en toegekend aan een pointer op regel 38. Het adres dat deze pointer bevat is afgedrukt, waarna er dereferentie op de pointer wordt toegepast en het object SimpleCat als referentie wordt afgeleverd.

Op regel 25 wordt de return-waarde van TheFunction() aan een referentie naar SimpleCat toegekend. Dat object wordt gebruikt om de leeftijd van de kat te verkrijgen, die op regel 27 wordt afgedrukt.

Om te bewijzen dat de referentie die in main() is gedeclareerd naar het object verwijst dat in TheFunction() in het vrije geheugen is geplaatst, is de operator 'adres van' (&) op rCat toegepast. Het adres van het object wordt inderdaad weergegeven, en dit komt overeen met het adres van het object in het vrije geheugen.

Zover is alles in orde, maar hoe wordt dat geheugen vrijgemaakt? U kunt delete voor de referentie niet aanroepen. Een slimme oplossing is dat u een nieuwe pointer maakt en deze als beginwaarde het adres geeft dat u van rCat hebt verkregen. Dit wist het geheugen en dicht het geheugenlek. Er rest echter nog één probleem: waar verwijst rCat naar na regel 31? Zoals eerder werd verteld, moet een referentie altijd een alias van een bestaand object zijn. Als de referentie de alias van een null-object is (zoals nu), is het programma ongeldig.

> **Voorkom referenties naar null-objecten** Het kan niet genoeg worden benadrukt dat een programma met een referentie naar een null-object kan worden gecompileerd, maar niettemin ongeldig en onvoorspelbaar is.

Er zijn in feite drie oplossingen voor dit probleem mogelijk. De eerste is dat het object SimpleCat op regel 25 wordt gedeclareerd, en dat die 'kat' als waarde door TheFunction() wordt afgeleverd. De tweede oplossing is SimpleCat in TheFunction() in het vrije geheugen declareren, waarbij TheFunction() wel een pointer naar dat geheugen moet afleveren. De aanroepende functie kan de pointer dan naderhand wissen.

De derde werkbare oplossing, en de juiste, is dat het object in de aanroepende functie wordt gedeclareerd en daarna als referentie aan TheFunction() wordt doorgegeven.

POINTER, POINTER, WIE HEEFT DE POINTER?

Wanneer een programma geheugen in het vrije bereik toewijst, wordt er een pointer afgeleverd. Het is cruciaal dat u een pointer naar dat geheugen behoudt, want wanneer de pointer verloren raakt, kan het geheugen niet worden gewist en ontstaat er een geheugenlek.

Terwijl u dit geheugenblok van functie naar functie doorgeeft, is iemand de 'eigenaar' van de pointer. Doorgaans wordt de waarde in het geheugenblok door middel van referenties doorgegeven, en is de functie die het geheugen heeft gemaakt de functie die het geheugen wist. Dit is echter slechts een algemene regel; geen wet van Meden en Perzen.

Het is riskant het geheugen dat door de ene functie is gecreëerd door een andere te laten vrijmaken. Onduidelijkheid over wie de eigenaar van de pointer is kan ertoe leiden dat het wissen van de pointer wordt vergeten, of dat de pointer twee keer wordt gewist. In beide gevallen kan dit ernstige problemen in een programma veroorzaken. Het is veiliger uw functies zo te ontwerpen dat ze het geheugen dat ze gebruiken ook weer zelf wissen.

Als u een functie schrijft die geheugen moet creëren en dit vervolgens aan de aanroepende functie moet doorgeven, kunt u overwegen uw interface te wijzigen. Laat de aanroepende functie het geheugen toewijzen en geef het daarna als referentie aan de functie door. Dit verplaatst al het geheugenbeheer uit uw programma en terug naar de functie die op wissen is voorbereid.

In deze les hebt u geleerd hoe u referenties doorgeeft, wanneer u pointers gebruikt en wanneer u referenties gebruikt.

GEAVANCEERDE FUNCTIES

In deze les leert u over overloading bij lidfuncties en hoe u functies schrijft waarmee klassen met dynamisch toegekende variabelen kunnen worden ondersteund.

OVERLOADING BIJ LIDFUNCTIES

In les 6, 'Functies', werd *overloading* van functies behandeld. Dit betekent dat twee of meer functies dezelfde naam, maar verschillende parameters hebben. Bij lidfuncties van klassen kan overloading op precies dezelfde manier worden toegepast. Net zoals functies die niet bij een klasse horen, kunnen lidfuncties van een klasse één of meer standaardwaarden hebben.

KIEZEN TUSSEN STANDAARDWAARDEN EN OVERLOADING

Overweeg overloading als:

- Er geen redelijke standaardwaarde is
- U andere algoritmen nodig hebt
- U voor de parameters verschillende typen dient te ondersteunen

DE STANDAARD-CONSTRUCTOR

In les 8, 'Meer over klassen', hebt u kunnen lezen dat er een standaard-constuctor wordt gegenereerd als u niet expliciet een constructor voor een klasse declareert. Deze standaard-constructor accepteert geen parameters en doet niets. Het staat u echter vrij zelf een standaard-constructor te maken, die geen parameters accepteert, maar wel een object instelt op een wijze die aan uw wensen voldoet.

De geboden constructor heet de standaard-constructor, maar volgens de regels geldt hetzelfde voor elke constructor zonder parameters. Dit kan tot enige verwarring leiden, hoewel uit de context meestal wel duidelijk wordt om welke constructor het gaat.

Neem er nota van dat als u zelf een constructor maakt, er geen standaard-constructor door de compiler wordt gemaakt. Als u dus een constructor wilt die geen parameters accepteert en u al één of meer andere constructors hebt gemaakt, moet u de standaard-constructor zelf maken!

OVERLOADING BIJ CONSTRUCTORS

Met een constructor wordt een object gemaakt.

Zoals alle lidfuncties kan er overloading voor constructors worden toegepast. Bij constructors biedt deze mogelijkheid veel capaciteit en flexibiliteit.

Stel bijvoorbeeld dat u een rechthoekig object met twee constructors hebt. De eerste maakt op grond van een lengte en een breedte een rechthoek van die grootte. De tweede maakt een standaard-rechthoek zonder waarden te accepteren. De compiler kiest de juiste constructor volgens de methode die altijd bij overloading wordt toegepast: op basis van het aantal en het type parameters.

Hoewel u bij constructors overloading kunt toepassen, kan dit niet bij destructors. Destructors hebben per definitie dezelfde signatuur: de naam van de klasse voorafgegaan door een tilde (~), en geen parameters.

OBJECTEN INITIALISEREN

Tot nu toe hebt u de lidvariabelen van objecten in de body van de constructor ingesteld. Constructors worden echter in twee fasen tot stand gebracht: eerst vindt de initialisatiefase plaats en dan wordt de body van de constructor gemaakt. Het is minder rommelig, en vaak efficiënter, om lidvariabelen in de initialisatiefase te initialiseren. In het volgende voorbeeld is te zien hoe lidvariabelen worden geïnitialiseerd:

```
CAT():        // constructornaam en parameters
itsAge(5),    // initialisatielijst
itsWeight(8)
{ }           // body van constructor
```

Typ na de afsluitende accolade in de parameterlijst van de constructor een puntkomma. Typ vervolgens de naam van de lidvariabele en een tweetal accolades. Typ tussen de accolades de expressie waarmee die lidvariabele wordt geïnitialiseerd. Als er meer dan één beginwaarde is, worden deze door een komma gescheiden.

Vergeet niet dat referenties en constanten een beginwaarde moeten hebben en dat toekenning niet mogelijk is. Als u referenties of constanten als lidgegevens hebt, moeten deze worden geïnitialiseerd op de manier die hier wordt getoond.

Hiervoor heb ik gezegd dat het efficiënter is de lidvariabelen te initialiseren dan eraan toe te kennen. Dit is gemakkelijker te begrijpen als u weet hoe de copy-constructor werkt.

DE COPY-CONSTRUCTOR

Behalve een standaard-constructor en een destructor, voorziet de compiler in een standaard copy-constructor. De copy-constructor wordt steeds aangeroepen wanneer er een kopie van een object wordt gemaakt.

Wanneer u een object als waarde doorgeeft, aan een functie of als return-waarde van een functie, wordt er een tijdelijke kopie van dat object gemaakt. Als het object een door de gebruiker gedefinieerd object is, wordt de copy-constructor van de klasse aangeroepen.

Alle copy-constructors accepteren één parameter: een referentie naar een object van dezelfde klasse. Het is een goed idee deze referentie constant te maken, omdat de constructor het object dat wordt ingevoerd niet hoeft te wijzigen. Voorbeeld:

```
CAT(const CAT & theCat);
```

Hier heeft de CAT-constructor een constante referentie naar een bestaand CAT-object. Het doel van de copy-constructor is dat er een kopie van theCat wordt gemaakt. De standaard copy-constructor kopieert de lidvariabelen van het object dat als een parameter

> Ondiepe en diepe kopieën　Bij ondiep of lidgewijs ko-
> piëren worden de exacte waarden van de lidvariabelen
> van het ene object in een ander object gekopieerd.
> Eventuele pointers in beide objecten wijzen naar het-
> zelfde geheugen. Bij een diepe kopie, daarentegen,
> worden de waarden die in de heap zijn toegewezen
> naar nieuw toegewezen geheugen gekopieerd.

wordt doorgegeven, eenvoudig naar de lidvariabelen van het nieuwe object. Er wordt dan van een *ondiepe kopie* gesproken. Hoewel
zo'n kopie voor de meeste lidvariabelen prima is, gaat het gauw
mis als de lidvariabelen pointers zijn die naar objecten in het vrije
geheugen wijzen.

Als de klasse CAT de lidvariabele itsAge bevat, die naar een integer in het vrije geheugen wijst, kopieert de standaard copy-constructor de doorgegeven lidvariabele itsAge van CAT naar de nieuwe lidvariabele itsAge van CAT. De twee objecten wijzen daarna
naar hetzelfde geheugen, zoals in figuur 16.1 wordt verduidelijkt.

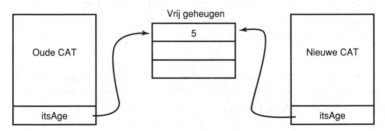

Figuur 16.1 De standaard copy-constructor toepassen

Dit heeft catastrofale gevolgen wanneer één van beide CAT-klassen
buiten de scope komt. Wanneer het object buiten de scope komt,
wordt de destructor aangeroepen, die het toegekende geheugen
tracht op te ruimen.

Stel dat de originele CAT buiten de scope komt. De destructor
maakt het toegekende geheugen vrij. De kopie wijst echter nog
steeds naar dat geheugen. Als de kopie toegang tot het geheugen
probeert te krijgen, loopt uw programma vast. Dit probleem wordt
in figuur 16.2 verduidelijkt.

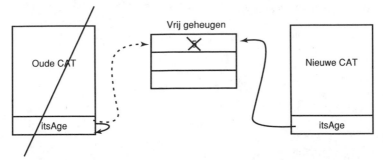

Figuur 16.2 Een zwervende pointer

De oplossing hiervoor is dat u zelf een copy-constructor definieert en naar behoefte geheugen voor de kopie toewijst. Nadat het geheugen is toegewezen, kunnen de oude waarden naar het nieuwe geheugen worden gekopieerd. Dit wordt een *diepe kopie* genoemd. In programma 16.1 wordt weergegeven hoe u dit doet.

Programma 16.1 Copy-constructors

```
1:   // Programma 16.1
2:   // Copy-constructors
3:
4:   #include <iostream.h>
5:
6:   class CAT
7:   {
8:   public:
9:       CAT();                  // standaard-constructor
10:      CAT (const CAT &);  // copy-constructor
11:      ~CAT();                 // destructor
12:      int GetAge() const { return *itsAge; }
13:      int GetWeight() const { return *itsWeight; }
14:      void SetAge(int age) { *itsAge = age; }
15:
16:  private:
17:      int *itsAge;
18:      int *itsWeight;
19:  };
20:
21:  CAT::CAT()
22:  {
23:      itsAge = new int;
```

Programma 16.1 Vervolg

```
24:         itsWeight = new int;
25:         *itsAge = 5;
26:         *itsWeight = 9;
27:    }
28:
29:    CAT::CAT(const CAT & rhs)
30:    {
31:         itsAge = new int;
32:         itsWeight = new int;
33:         *itsAge = rhs.GetAge();
34:         *itsWeight = rhs.GetWeight();
35:    }
36:
37:    CAT::~CAT()
38:    {
39:         delete itsAge;
40:         itsAge = 0;
41:         delete itsWeight;
42:         itsWeight = 0;
43:    }
44:
45:    int main()
46:    {
47:         CAT frisky;
48:         cout << "frisky's age: " << frisky.GetAge() << endl;
49:         cout << "Setting frisky to 6...\n";
50:         frisky.SetAge(6);
51:         cout << "Creating boots from frisky\n";
52:         CAT boots(frisky);
53:         cout << "frisky's age: " << frisky.GetAge() << endl;
54:         cout << "boots'age: " << boots.GetAge() << endl;
55:         cout << "setting frisky to 7...\n";
56:         frisky.SetAge(7);
57:         cout << "frisky's age: " << frisky.GetAge() << endl;
58:         cout << "boots' age: " << boots.GetAge() << endl;
59:         return 0;
60:    }
```

Resultaat

```
frisky's age: 5
Setting frisky to 6...
Creating boots from frisky
frisky's age: 6
```

```
boots' age:  6
setting frisky to 7...
frisky's age: 7
boots' age: 6
```

Op de regels 6 t/m 19 wordt de klasse CAT gedeclareerd. Merk op dat er op regel 9 een standaard-constructor wordt gedeclareerd, en dat er op regel 10 een copy-constructor wordt gedeclareerd.

Op de regels 17 en 18 worden twee lidvariabelen gedeclareerd, elk als een pointer die naar een integer wijst. Doorgaans is er voor een klasse weinig reden om int-lidvariabelen als pointers op te slaan. Het wordt hier gedaan om te verduidelijken hoe u lidvariabelen in het vrije geheugen beheert.

De standaard-constructor kent op de regels 21 t/m 27 ruimte in het vrije geheugen toe aan twee int-variabelen en wijst er daarna waarden aan toe.

De copy-constructor begint op regel 29. Neem er nota van dat de parameter rhs is. Het is gebruikelijk dat de parameter voor een copy-constructor rhs wordt genoemd, wat voor *right-hand side* staat. Wanneer u de toekenningen op de regels 33 en 34 bekijkt, ziet u dat het als parameter doorgegeven object aan de rechterzijde van het isgelijkteken staat. Zo werkt het:

- Op de regels 31 en 32 is er geheugen in het vrije geheugen toegekend. Hierna wordt op de regels 33 en 34 de waarden van de bestaande CAT aan de waarde op de nieuwe geheugenlocatie toegekend.

- De parameter rhs is een CAT die als een constante referentie aan de copy-constructor wordt doorgegeven. De lidfunctie rhs.GetAge() levert de waarde in het geheugen af waar de lidvariabele itsAge van rhs naar verwijst. Als CAT-object heeft rhs alle lidvariabelen van een andere CAT.

- Wanneer de copy-constructor wordt aangeroepen om een nieuwe CAT te maken, wordt daar een bestaande CAT als parameter aan doorgegeven.

In figuur 16.2 wordt schematisch weergegeven wat er hier gebeurt. De waarden waar door de bestaande CAT naar worden gewezen, worden naar het geheugen gekopieerd dat aan de nieuwe CAT is toegewezen.

Op regel 47 wordt een CAT met de naam frisky gemaakt. De leeftijd (age) van frisky wordt afgedrukt, waarna zijn leeftijd op regel 50 op 6 wordt gesteld. Op regel 52 wordt met de copy-constructor een nieuwe CAT gemaakt, boots, waaraan frisky wordt doorgegeven. Als frisky als een parameter aan een functie was doorgegeven, zou de compiler deze aanroep van de copy-constructor hebben gedaan.

Op de regels 53 en 54 worden de leeftijden van beide CATs afgedrukt. boots heeft inderdaad dezelfde leeftijd als frisky, namelijk 6 en dus niet de standaardleeftijd 5. Op regel 56 is de leeftijd van frisky op 7 gesteld, waarna de leeftijden opnieuw worden afgedrukt. Deze keer is de leeftijd van frisky 7 maar is die van boots nog steeds 6, wat laat zien dat ze in aparte geheugenlocaties zijn opgeslagen.

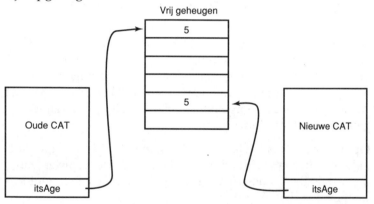

Vrij geheugen

Figuur 16.3 Een schematische weergave van een diepe kopie. Wanneer de CAT's buiten de scope komen, worden de bijbehorende destructors automatisch aangeroepen. De implementatie van de CAT-destructor wordt op de regels 37 t/m 43 weergegeven. delete wordt voor de pointers itAge en itsWeight aangeroepen, waardoor het toegekende geheugen aan het vrije geheugen wordt teruggegeven. Ook krijgen de pointers voor de veiligheid NULL toegewezen.

In deze les hebt u geleerd over *overloading* bij lidfuncties en hoe u functies schrijft die klassen met dynamisch toegewezen variabelen ondersteunen.

OVERLOADING BIJ OPERATOREN — 17

In deze les leert u hoe u overloading bij lidfuncties toepast.

OVERLOADING BIJ OPERATOREN

C++ kent een aantal ingebouwde typen, waaronder int, float, double, enzovoort. Elk type beschikt over een aantal ingebouwde operatoren, zoals voor optellen (+) en vermenigvuldigen (*). Met C++ kunt u deze operatoren ook aan uw eigen klassen toevoegen.

Om overloading bij operatoren grondig te kunnen verkennen, wordt in programma 17.1 een nieuwe klasse, Counter, gemaakt. Een Counter-object wordt voor tellen gebruikt, in lussen en andere toepassingen waarbij een getal opgehoogd, verminderd of op een andere wijze moet worden bijgehouden.

Programma 17.1 De klasse Counter

```
1:    // Programma 17.1:
2:    // De klasse Counter
3:
4:
5:    #include <iostream.h>
6:
7:    class Counter
8:    {
9:    public:
10:        Counter();
11:        ~Counter(){}
12:        int GetItsVal()const { return itsVal; }
13:        void SetItsVal(int x) {itsVal = x; }
14:
15:    private:
16:        int itsVal;
17:
```

Programma 17.1 De klasse Counter

```
18:  };
19:
20:  Counter::Counter():
21:  itsVal(0)
22:  {};
23:
24:  int main()
25:  {
26:      Counter i;
27:      cout << "The value of i is ";
28:      cout << i.GetItsVal() << endl;
29:      return 0;
30:  }
```

Resultaat

```
The value of i is 0
```

Zo te zien is dit een tamelijk nutteloze klasse. De klasse wordt gedefinieerd op de regels 7 t/m 18. De enige lidvariabele is een int. De standaard-constructor, die op regel 10 wordt gedeclareerd en waarvan de implementatie op de regel 20 t/m 22 plaatsvindt, geeft de enige lidvariabele, itsVal, de beginwaarde 0.

In tegenstelling tot een echte, ingebouwde en levenslustige int, kan het Counter-object niet worden opgehoogd, verminderd, toegevoegd, toegewezen of anderzijds gemanipuleerd. In ruil daarvoor is het veel moeilijker om de waarde van het object af te drukken.

Een increment-functie schrijven

Overloading van operatoren herstelt een groot aantal functies die aan door gebruikers gedefinieerde klassen zoals Counter worden ontzegt. Ingebouwde klassen hebben twee increment-operatoren: *prefix* (++x) en *postfix* (x++).

Voordat u de postfix-operator gebruikt, moet u weten in welk opzicht deze van de prefix-operator verschilt. Prefix betekent hier *incrementeren en dan ophalen*, terwijl postfix *ophalen en dan incrementeren* betekent.

De prefix-operator kan de waarde gewoon ophogen en daarna het object afleveren, maar de postfix-operator levert de waarde af die bestond voordat deze werd opgehoogd. Hierbij moet u toch een tijdelijk object maken. Dit tijdelijke object bewaart de oorspronkelijke waarde terwijl u de waarde van het originele object ophoogt. Vervolgens wordt echter het tijdelijke object afgeleverd, omdat de postfix-operator naar de oorspronkelijke waarde vraagt, en niet naar de opgehoogde waarde.

Laten we dat nog eens herhalen. U schrijft het volgende:

```
a = x++;
```

Als x eerst 5 was, dan is a na dit statement 5 terwijl x 6 is. Dit komt doordat ik de waarde in x hebt afgeleverd en aan a heb toegekend, en daarna de waarde van x heb opgehoogd. Als x een object is, moet de postfix-operator die x ophoogt, de oorspronkelijke waarde (5) in een tijdelijk object stoppen, de waarde van x ophogen naar 6, en de tijdelijke waarde vervolgens weer afleveren om de waarde ervan aan a toe te kennen.

Neem er nota van dat de tijdelijke waarde, omdat deze moet worden afgeleverd, alleen als waarde en niet als referentie mag worden afgeleverd, omdat de tijdelijke waarde buiten de scope komt zodra de functie een resultaat heeft afgegeven.

U schrijft de prefix-operator als volgt:

```
const Counter& operator++ ();
```

U schrijft de postfix-operator als volgt:

```
const Counter& operator++ ();
```

De postfix-operator is niet te onderscheiden van de prefix-operator. Als regel wordt er een integer-variabele als parameter aan de operatordeclaratie geleverd. De waarde van de parameter wordt genegeerd; het is niet meer dan een signaal dat het een postfix-operator betreft.

```
const Counter& operator++ (int flag);
```

In programma 17.2 wordt het gebruik van zowel de prefix- als postfix-operatoren gedemonstreerd.

Programma 17.2   Prefix- en postfix-operatoren

```
1:    // Programma 17.2
2:    // De this-pointer afleveren waarop dereferentie is toegepast
3:
4:
5:    #include <iostream.h>
6:
7:    class Counter
8:    {
9:    public:
10:       Counter();
11:       ~Counter(){}
12:       int GetItsVal()const { return itsVal; }
13:       void SetItsVal(int x) {itsVal = x; }
14:       const Counter& operator++ ();      // prefix
15:       const Counter operator++ (int x);    // postfix
16:
17:    private:
18:        int itsVal;
19:    };
20:
21:    Counter::Counter():
22:    itsVal(0)
23:    {}
24:
25:    const Counter& Counter::operator++()
26:    {
27:        ++itsVal;
28:        return *this;
29:    }
30:
31:    const Counter Counter::operator++(int x)
32:    {
33:        Counter temp(*this);
34:        ++itsVal;
35:        return temp;
36:    }
37:
38:    int main()
39:    {
40:        Counter i;
41:        cout << "The value of i is ";
42:        cout << i.GetItsVal() << endl;
```

```
43:        i++;
44:        cout << "The value of i is ";
45:        cout << i.GetItsVal() << endl;
46:        ++i;
47:        cout << "The value of i is ";
48:        cout << i.GetItsVal() << endl;
49:        Counter a = ++i;
50:        cout << "The value of a: " << a.GetItsVal();
51:        cout << " and i: " << i.GetItsVal() << endl;
52:        a = i++;
53:        cout << "The value of a: " << a.GetItsVal();
54:        cout << " and i: " << i.GetItsVal() << endl;
55:        return 0;
56:  }
```

Resultaat

```
The value of i is 0
The value of i is 1
The value of i is 2
The value of a: 3 and i: 3
The value of a: 4 and i: 4
```

De postfix-operator wordt op regel 15 gedeclareerd en op de regel 31 t/m 36 ingevoerd. Merk op dat de flag-integer (x) niet in de aanroep van de prefix-operator op regel 14 is opgenomen maar dat de normale syntaxis voor de aanroep is toegepast. De postfix-operator hanteert een flag-waarde (x) om aan te geven dat het een postfix en geen prefix betreft. De flag-waarde (x) wordt echter niet gebruikt.

De implementatie van de prefix operator++ op de regels 25 t/m 29 levert een this-pointer af waarop dereferentie is toegepast. Wat er wordt afgeleverd is dus het huidige, nu opgehoogde object. Dit geeft een Counter-object dat aan a wordt toegekend. Als het Counter-object geheugen zou toewijzen, zou het belangrijk zijn de copy-constructor te vervangen. In dit geval functioneert de standaard copy-constructor echter prima.

Neem er nota van dat de waarde die is afgeleverd een Counter-referentie is, waarmee wordt voorkomen dat er een extra tijdelijk object wordt gemaakt. Het is een const-referentie, omdat de waarde niet mag worden gewijzigd door de functie die deze Counter gebruikt.

Merk ook op dat het object op de regels 31 t/m 36 een kopie van zichzelf maakt, en daarna de niet opgehoogde kopie aflevert. Het object voldoet dus aan de vereiste semantiek van eerst ophalen en daarna ophogen. Wat u terugkrijgt is de niet-opgehoogde waarde, maar het object wordt opgehoogd achtergelaten.

operator+

De increment-operator is een unaire operator, wat betekent dat deze met slechts één object werkt. De operator voor optellen (+) is een binaire operator, omdat er twee objecten bij zijn betrokken. Hoe implementeert u overloading bij de operator + voor Count?

Het is de bedoeling twee Counter-variabelen te declareren en dan op te tellen, zoals in het volgende voorbeeld:

```
Counter varOne, varTwo, varThree;
VarThree = VarOne + VarTwo;
```

Door overloading van de operator + kunt u deze klasse net zo gebruiken als een ingebouwd type.

Programma 17.3 operator+

```
1:    // Programma 17.3:
2:    // Overloading bij de operator plus (+)
3:
4:
5:    #include <iostream.h>
6:
7:    class Counter
8:    {
9:    public:
10:       Counter();
11:       Counter(int initialValue);
12:       ~Counter(){}
13:       int GetItsVal()const { return itsVal; }
14:       void SetItsVal(int x) {itsVal = x; }
15:       Counter operator+ (const Counter &);
16:    private:
17:       int itsVal;
18:    };
19:
20:    Counter::Counter(int initialValue):
21:    itsVal(initialValue)
22:    {}
23:
```

```
24:    Counter::Counter():
25:    itsVal(0)
26:    {}
27:
28:    Counter Counter::operator+ (const Counter & rhs)
29:    {
30:        return Counter(itsVal + rhs.GetItsVal());
31:    }
32:
33:    int main()
34:    {
35:        Counter varOne(2), varTwo(4), varThree;
36:        varThree = varOne + varTwo;
37:        cout << "varOne: " << varOne.GetItsVal()<< endl;
38:        cout << "varTwo: " << varTwo.GetItsVal() << endl;
39:        cout << "varThree: " << varThree.GetItsVal();
40:        cout << endl;
41:
42:        return 0;
43:    }
```

Resultaat
```
varOne: 2
varTwo: 4
varThree: 6
```

operator+ wordt op regel 15 gedeclareerd en op de regels 28 t/m 31 gedefinieerd. Merk op dat a+b door de compiler in a.operator+(b) wordt vertaald.

In deze les hebt u *operator-overloading* leren uitvoeren.

GEAVANCEERDE OPERATOR- OVERLOADING

18

In deze les leert u enkele beperkingen en risico's bij overloading van operatoren kennen en leert u hoe u deze kunt ondervangen.

BEPERKINGEN VAN OPERATOR-OVERLOADING

Op operatoren voor ingebouwde typen (zoals `int`) kan geen overloading worden toegepast. De prioriteit kan niet worden gewijzigd en de unaire of binaire kwaliteit van de operator kan niet worden gewijzigd. U kunt geen nieuwe operatoren verzinnen. U kunt dus niet zomaar `**` als operator voor tot 'de macht van' declareren.

WANNEER OVERLOADING WORDT TOEGEPAST

Operator-overloading is één van de door nieuwe programmeurs meest gebruikte en misbruikte aspecten van C++. Het is verleidelijk nieuwe en interessante gebruiksmogelijkheden voor de meer obscure operatoren te verzinnen, maar dit leidt onveranderlijk tot verwarrende en lastig te lezen programmacode.

Natuurlijk is het leuk de operator + voor aftrekken te gebruiken en met de operator * op te tellen, maar geen enkele professionele programmeur zal zoiets doen. Er schuilt een groter gevaar in goedbedoeld, maar zeer persoonlijk gebruik van operatoren: bijvoorbeeld als + wordt gebruikt om een reeks letters samen te voegen of als / wordt gebruikt om een string te splitsen. Er zijn goede redenen te bedenken waarom u dit zou doen, maar er zijn nog betere redenen om voorzichtig te werk te gaan. Vergeet niet dat overloading is bedoeld om bruikbaarheid en begrip te vergroten.

operator=

U zult zich nog herinneren dat de compiler standaard in een constructor, destructor and copy-constructor voorziet. De vierde en laatste functie waarin door de compiler wordt voorzien, als u deze niet opgeeft, is de toekenningsoperator (operator=( )).

Deze operator wordt aangeroepen wanneer u een object toewijst. Voorbeeld:

```
class Cat
{
public:
    Cat (int age, weight);
    // ...
private:
    // ...
    int itsAge;
    int itsWeight;
};
CAT catOne(5,7);
CAT catTwo(3,4);
// ... andere code hier
catTwo = catOne;
```

In dit fragment wordt catOne gemaakt en geïnitialiseerd, waarbij itsAge gelijk is aan 5 en itsWeight gelijk is aan 7. Daarna wordt catTwo gemaakt, waaraan de waarden 3 en 4 worden toegekend.

> **-TIP-** **Geen copy-constructor** In dit geval wordt de copy-constructor niet aangeroepen. catTwo bestaat al en hoeft dus niet te worden gemaakt.

In les 16, 'Geavanceerde functies', heb ik het verschil tussen een ondiepe kopie en een diepe kopie behandeld. Bij een ondiepe kopie worden alleen de leden gekopieerd en wijzen beide objecten uiteindelijk naar hetzelfde gebied in het vrije geheugen. Bij een diepe kopie wordt het benodigde geheugen toegewezen. U hebt hier een voorbeeld van gezien in figuur 16.1. Raadpleeg die figuur als u uw geheugen wilt opfrissen.

U komt bij toekenning dezelfde kwesties tegen als bij de copy-constructor. De toekenningsoperator kent echter een extra obstakel. Het object catTwo bestaat al en er is dus al geheugen aan toegewezen. Als dat geheugen in de heap is toegewezen (met de operator new), moet het worden gewist om een geheugenlek te voorkomen.

Het eerste wat u daarom moet doen wanneer u de toekennings-operator implementeert, is het geheugen wissen dat aan de bijbe-horende pointers is toegekend. Merk op dat als het toegewezen ge-heugen voor een ingebouwd type is (bijvoorbeeld int) en u de waarde door een nieuwe wilt vervangen, u de nieuwe waarde ge-woon naar de bestaande plaats kunt kopiëren. Wissen en opnieuw toewijzen is niet nodig.

Wat gebeurt er als u catTwo aan zichzelf toekent?

```
catTwo = catTwo;
```

Het is onwaarschijnlijk dat iemand dit opzettelijk zou doen, maar het programma moet de situatie wel kunnen afhandelen wanneer die optreedt. Het is met name mogelijk dat het per ongeluk gebeurt wanneer referenties en pointers waarvoor dereferentie is toegepast verhullen dat het object aan zichzelf is toegewezen.

Als u dit probleem niet zorgvuldig afhandelt, wist catTwo de ge-heugentoewijzing. Wanneer catTwo vervolgens zover is dat er van de rechterkant van de toekenning naar het geheugen wordt geko-pieerd, blijkt er een groot probleem te zijn: het geheugen is verdwe-nen.

Om hier tegen te beveiligen, moet de toekenningsoperator contro-leren of het object zelf soms rechts van de toekenningsoperator staat. De toekenningsoperator doet dit door de this-pointer te on-derzoeken. Programma 18.1 is een voorbeeld van een klasse met een toekenningsoperator.

Programma 18.1 Een toekenningsoperator

```
1:    // Programma 18.1:
2:    // toekenningsoperator
3:
4:    #include <iostream.h>
5:
6:    class CAT
7:    {
8:    public:
9:        CAT(); // standaard-constructor
10:       // copy-constructor en destructor weggelaten!
11:       int GetAge() const { return *itsAge; }
12:       int GetWeight() const { return *itsWeight; }
```

Programma 18.1 Vervolg

```
13:      void SetAge(int age) { *itsAge = age; }
14:      CAT operator=(const CAT &);
15:
16: private:
17:      int *itsAge;
18:      int *itsWeight;
19: };
20:
21: CAT::CAT()
22: {
23:      itsAge = new int;
24:      itsWeight = new int;
25:      *itsAge = 5;
26:      *itsWeight = 9;
27: }
28:
29:
30: CAT CAT::operator=(const CAT & rhs)
31: {
32:      if (this == &rhs)
33:          return *this;
38:      *itsAge = rhs.GetAge();
39:      *itsWeight = rhs.GetWeight();
40:      return *this;
41: }
42:
43:
44: int main()
45: {
46:      CAT frisky;
47:      cout << "frisky's age: " << frisky.GetAge() << endl;
48:      cout << "Setting frisky to 6...\n";
49:      frisky.SetAge(6);
50:      CAT whiskers;
51:      cout << "whiskers' age: " <<whiskers.GetAge() << endl;
52:      cout << "copying frisky to whiskers...\n";
53:      whiskers = frisky;
54:      cout << "whiskers' age: " <<whiskers.GetAge() << endl;
55:      return 0;
56: }
```

```
frisky's age: 5
Setting frisky to 6;
whiskers' age: 5
copying frisky to whiskers...
whiskers' age: 6
```

Programma 18.1 maakt de klasse CAT en laat de copy-constructor en de destructor weg om ruimte te besparen. Op regel 14 wordt de toekenningsoperator gedeclareerd, en op de regels 30 t/m 41 wordt deze gedefinieerd.

Op regel 32 wordt het huidige object (de CAT waaraan wordt toegekend) gecontroleerd, om na te gaan of het dezelfde CAT is als de CAT die wordt toegekend. Dit vindt plaats door te controleren of het adres van rhs gelijk is aan het adres dat in de this-pointer wordt bewaard. Een alternatieve test is dereferentie op de this-pointer toepassen en nagaan of de twee objecten gelijk zijn:

```
if (*this == rhs)
```

Natuurlijk kan er ook overloading op de gelijkheidsoperator (==) worden toegepast, waardoor u zelf kunt bepalen wat het betekent als de objecten gelijk zijn.

CONVERSIE-OPERATOREN

Wat gebeurt er wanneer u een variabele van een ingebouwd type, zoals int of unsigned short, aan een object van een door de gebruiker gedefinieerde klasse probeert toe te kennen? In programma 18.2 verschijnt de klasse Counter weer op het toneel, en wordt er getracht een variabele van het type int aan een Counter-object toe te wijzen.

> **Waarschuwing** Programma 18.2 kan niet worden gecompileerd!

Programma 18.2 Een poging een int aan Counter toe te kennen

```
1:   // Programma 18.2:
2:   // Deze programmacode kan niet worden gecompileerd!
3:
```

Programma 18.2 Vervolg

```
  :
  :    #include <iostream.h>
6:
7:    class Counter
8:    {
9:    public:
10:       Counter();
11:       ~Counter(){}
12:       int GetItsVal()const { return itsVal; }
13:       void SetItsVal(int x) {itsVal = x; }
14:   private:
15:       int itsVal;
16:
17:   };
18:
19:   Counter::Counter():
20:   itsVal(0)
21:   {}
22:
23:   int main()
24:   {
25:       int theShort = 5;
26:       Counter theCtr = theShort;
27:       cout << "theCtr: " << theCtr.GetItsVal() << endl;
28:       return 0;
29:   }
```

Resultaat

```
Compiler error! Unable to convert int to Counter
```

De klasse Counter, die op de regel 7 t/m 17 wordt gedeclareerd, kent alleen een standaard-constructor. Er wordt geen methode gedeclareerd waarmee een int in een Counter-object kan worden omgezet, zodat regel 26 een compileerfout veroorzaakt. De compiler weet niet dat bij een gegeven int de waarde aan de lidvariabele itsVal moet worden toegewezen, tenzij u dit duidelijk maakt.

In programma 18.3 is het probleem gecorrigeerd door middel van een conversie-operator: een constructor die een int accepteert en een Counter-object produceert.

Programma 18.3 Conversie van int in Counter

```
1:    // Programma 18.3:
2:    // Constructor als conversie-operator
3:
4:
5:    #include <iostream.h>
6:
7:    class Counter
8:    {
9:    public:
10:       Counter();
11:       Counter(int val);
12:       ~Counter(){}
13:       int GetItsVal()const { return itsVal; }
14:       void SetItsVal(int x) {itsVal = x; }
15:    private:
16:       int itsVal;
17:
18:    };
19:
20:    Counter::Counter():
21:    itsVal(0)
22:    {}
23:
24:    Counter::Counter(int val):
25:    itsVal(val)
26:    {}
27:
28:
29:    int main()
30:    {
31:       int theShort = 5;
32:       Counter theCtr = theShort;
33:       cout << "theCtr: " << theCtr.GetItsVal() << endl;
34:       return 0;
35:    }
```

Resultaat
theCtr: 5

De belangrijkste wijziging bevindt zich op regel 11, waar overloading met een int op de constructor wordt toegepast, en op de regels 24 t/m 26, waar de constructor wordt geïmplementeerd. Het resultaat van deze constructor is dat er een Counter uit een int wordt gemaakt.

De computer is hierdoor in staat de constructor aan te roepen die een `int` als argument accepteert. Wat gebeurt er echter wanneer u de toekenning met de volgende regels probeert om te keren?

```
1:  Counter theCtr(5);
2:  int theShort = theCtr;
3:  cout << "theShort : " << theShort << endl;
```

Dit zou opnieuw een compileerfout genereren. De compiler weet nu wel hoe een `Counter` uit een `int` wordt gemaakt, maar niet hoe dit proces moet worden omgekeerd.

De operator unsigned short()

Om dit en gelijksoortige problemen op te lossen, voorziet C++ in conversie-operatoren die aan een klasse kunnen worden toegevoegd. Zo kan de klasse aangeven hoe impliciete conversies op ingebouwde typen kunnen worden uitgevoerd. Dit wordt in programma 18.4 verduidelijkt.

 Geen return-waarde Conversie-operatoren geven geen return-waarde op, hoewel ze in feite wel een geconverteerde waarde afleveren.

Programma 18.4 Converteren van Counter naar unsigned short()

```
1:  // Programma 18.4:
2:  // Conversie-operator
3:
4:  #include <iostream.h>
5:
6:  class Counter
7:  {
8:  public:
9:      Counter();
10:     Counter(int val);
11:     ~Counter(){}
12:     int GetItsVal()const { return itsVal; }
13:     void SetItsVal(int x) {itsVal = x; }
14:     operator int();
15: private:
16:     int itsVal;
```

```
17:
18:  };
19:
20:  Counter::Counter():
21:  itsVal(0)
22:  {}
23:
24:  Counter::Counter(int val):
25:  itsVal(val)
26:  {}
27:
28:  Counter::operator int ()
29:  {
30:       return ( int (itsVal) );
31:  }
32:
33:  int main()
34:  {
35:       Counter ctr(5);
36:       int theInt = ctr;
37:       cout << " theInt: " << theInt << endl;
38:       return 0;
39:  }
```

Resultaat

theShort: 5

Op regel 14 wordt de conversie-operator gedeclareerd. Merk op dat deze geen return-waarde heeft. De implementatie van deze functie vindt op de regels 28 t/m 31 plaats. Regel 30 levert de waarde van itsVal af, die in een int is omgezet.

Nu de compiler weet hoe een int in een Counter-object kan worden omgezet, en vice versa, kunnen ze vrijelijk aan elkaar worden toegekend.

In deze les hebt u geleerd hoe u doelmatig met operator-overloading werkt.

ARRAYS

In deze les leert u wat arrays zijn en hoe u deze declareert.

WAT IS EEN ARRAY?

Een *array* is een verzameling locaties voor gegevensopslag, die ieder hetzelfde type gegevens bevatten. Elke opslaglocatie wordt een element van de array genoemd.

U declareert een array door het type te schrijven, gevolgd door de array-naam en het *subscript*.

> **Subscript** Het aantal elementen in de array tussen vierkante haken.

Voorbeeld:

```
long LongArray[25];
```

Hierdoor wordt een array van 25 `long` integers met de naam `LongArray` gedeclareerd. Wanneer de compiler deze declaratie tegenkomt, reserveert deze voldoende geheugen om alle 25 elementen te bevatten. Omdat elke `long` integer 4 bytes nodig heeft, worden er bij deze declaratie 100 opeenvolgende bytes aan geheugen gereserveerd, zoals in figuur 19.1 schematisch is weergegeven.

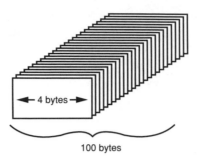

4 bytes

100 bytes

Figuur 19.1 Een array declareren

ELEMENTEN VAN EEN ARRAY

U hebt toegang tot elk element van de array via de naam van de array en een volgnummer. De elementen van een array beginnen bij 0 te tellen. Het eerste element is dus: naamArray[0]. In het voorbeeld met LongArray is LongArray[0] het eerste element van de array, is LongArray[1] het tweede element van de array, enzovoort.

Dit kan enige verwarring veroorzaken. De array SomeArray[3] kent drie elementen: SomeArray[0], SomeArray[1] en SomeArray[2]. Meer in het algemeen gesteld kent de array SomeArray[n] n elementen met de volgnummers SomeArray[0] tot en met SomeArray[n-1].

Daarom is LongArray[25] genummerd van LongArray[0] tot en met LongArray[24]. In programma 19.1 is te zien hoe u een array van vijf integers declareert en voor elk daarvan een waarde invult.

Programma 19.1 Een array van integers toepassen

```
1:    //Programma 19.1: Arrays
2:    #include <iostream.h>
3:
4:    int main()
5:    {
6:        int myArray[5];
7        int i;
8:        for (i=0; i<5; i++)  // 0-4
```

```
 9:      {
10:          cout << "Value for myArray[" << i << "]: ";
11:          cin >> myArray[i];
12:      }
13:      for (i = 0; i<5; i++)
14:          cout << i << ": " << myArray[i] << "\n";
15:      return 0;
16: }
```

Resultaat

```
Value for myArray[0]:  3
Value for myArray[1]:  6
Value for myArray[2]:  9
Value for myArray[3]:  12
Value for myArray[4]:  15

0: 3
1: 6
2: 9
3: 12
4: 15
```

Op regel 6 word een array met de naam myArray gedeclareerd, die vijf integer-variabelen bevat. Op regel 8 wordt een lus tot stand gebracht die van 0 tot en met 4 telt, wat het juiste aantal is voor een array van vijf elementen. De gebruiker wordt naar een waarde gevraagd, en die waarde wordt op de juiste plaats in de array opgeslagen.

De eerste waarde wordt op myArray[0] opgeslagen, de tweede op myArray[1], enzovoort. De tweede for-lus drukt alle waarden af op het scherm.

TIP **Hoe arrays tellen** Arrays tellen vanaf 0, niet vanaf 1. Dit is de oorzaak van veel programmeerfouten van beginnelingen in C++. Wanneer u een array toepast, vergeet dan niet dat een array met 10 elementen telt van NaamArray[0] tot en met NaamArray[9]. NaamArray[10] bestaat in dat geval niet.

Voorbij het einde van een array schrijven

Wanneer u een waarde naar een element in een array schrijft, berekent de computer waar de waarde wordt opgeslagen op basis van de grootte van elk element en het aantal elementen in de array (*subscript*). Stel dat u de waarde op LongArray[5], dus het zesde element, wilt overschrijven. De compiler vermenigvuldigt het volgnummer (5) met de grootte van elk element, in dit geval 4. Daarna schuift de compiler dat aantal bytes (20) op vanaf het begin van de array, en schrijft de nieuwe waarde naar die locatie.

Als u de compiler vraagt naar LongArray[50] te schrijven, negeert de compiler het feit dat dit element niet bestaat. De compiler berekent hoe ver voorbij het eerste element er moet worden gezocht (200 bytes) en overschrijft hetgeen zich op die locatie bevindt. Dit kan nagenoeg elk soort gegevens zijn. Het kan daarom onvoorspelbare gevolgen hebben als uw nieuwe waarde daar wordt geschreven. Als u geluk hebt, loopt het programma onmiddellijk vast. Als u minder geluk hebt, krijgt u pas veel later in het programma vreemde resultaten, en zal het niet eenvoudig zijn uit te zoeken waar het fout is gelopen.

Fence post errors

Het komt zo vaak voor dat er naar een locatie voorbij de array wordt geschreven dat deze programmeerfout een eigen naam heeft gekregen. Het wordt een *fence post error* genoemd. De naam verwijst naar het probleem dat bij het tellen van het aantal benodigde palen kan optreden als u een hek (fence) van 10 meter bouwt en één paal per meter wilt plaatsen. Veel mensen denken dat hiervoor 10 palen nodig zijn, maar er zijn natuurlijk 11 palen nodig. Dit is te zien in figuur 19.2.

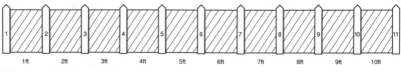

Figuur 19.2 Fence post-fouten

Dit soort telfouten kan een programmeur het leven zuur maken. Na enige tijd raakt u echter vertrouwd met het idee dat een array van 25 elementen slechts tot het element 24 loopt, en dat u altijd vanaf 0 begint te tellen. (Van sommige programmeurs is bekend dat ze op de liftknop met de vier drukken als ze naar de vijfde verdieping willen.)

ARRAYS INITIALISEREN

U kunt aan een eenvoudige array van ingebouwde typen (zoals integers en tekens) een beginwaarde toekennen wanneer u de array voor het eerst declareert. Na de naam van de array typt u een gelijkteken (=) en een lijst met door komma's van elkaar gescheiden waarden tussen accolades. Voorbeeld:

```
int IntegerArray[5] = { 10, 20, 30, 40, 50 };
```

Hiermee wordt `IntegerArray` als array van vijf integers gedeclareerd. Aan `IntegerArray[0]` wordt de waarde 10 toegekend, aan `IntegerArray[1]` wordt de waarde 20 toegekend, enzovoort.

Als u de grootte van de array weglaat, wordt een array gemaakt die juist groot genoeg is voor de beginwaarden. Als u dus het volgende schrijft

```
int IntegerArray[] = { 10, 20, 30, 40, 50 };
```

krijgt u precies dezelfde array als in het vorige voorbeeld.

Als u de grootte van de array wilt weten, kunt u deze door de compiler laten berekenen. Voorbeeld:

```
const int IntegerArrayLength =
sizeof(IntegerArray)/sizeof(IntegerArray[0]);
```

Hierbij is de constante variabele `IntegerArrayLength` van het type `int` de uitkomst die wordt verkregen door de grootte van de gehele array te delen door de grootte van elke afzonderlijke ingang in de array. Dat quotiënt is het aantal leden in de array.

ARRAYS MET OBJECTEN

Elk object, of het nu is ingebouwd of door de gebruiker is gedefinieerd, kan in een array worden opgeslagen. Wanneer u een array declareert, vertelt u de compiler het type object dat moet worden opgeslagen en het aantal objecten waarvoor ruimte moet worden toegewezen. Op basis van de klassedeclaratie weet de compiler hoeveel ruimte er nodig is. De klasse moet over een standaard-constructor beschikken die geen argumenten gebruikt, zodat de objecten kunnen worden gemaakt wanneer de array wordt gedefinieerd.

De toegang tot lidgegevens in een array met objecten is een proces van twee stappen. U identificeert het lid van de array met behulp van de index-operator ([ ]) en daarna voegt u de lidoperator (.) toe om toegang tot de betreffende lidvariabele te krijgen.

ARRAYS MET POINTERS

De hiervoor behandelde arrays bewaren al hun leden in de stack. Gewoonlijk is het stack-geheugen zeer beperkt, terwijl het vrije geheugenbereik veel groter is. Het is mogelijk elk object in het vrije geheugen te declareren en vervolgens alleen een pointer naar het object in de array te bewaren. Op deze manier wordt de hoeveelheid stack-geheugen dat wordt gebruikt drastisch verminderd. In programma 19.2 worden alle objecten in het vrije geheugen opgeslagen. Om aan te geven dat er nu een groter geheugen beschikbaar is, is de array uitgebreid van 5 naar 500, en is de naam van Litter gewijzigd in Family.

Programma 19.2   Een array in het vrije geheugen opslaan

```
1:     // Programma 19.2: An array of pointers to objects
2:
3:    #include <iostream.h>
4:
5:    class CAT
6:    {
7:    public:
8:        CAT() { itsAge = 1; itsWeight=5; }
9:        ~CAT() {}
10:       int GetAge() const { return itsAge; }
11:       int GetWeight() const { return itsWeight; }
12:       void SetAge(int age) { itsAge = age; }
13:
14:   private:
15:       int itsAge;
```

```
16:        int itsWeight;
17:    };
18:
19:    int main()
20:    {
21:        CAT * Family[500];
22:        int i;
23:        CAT * pCat;
24:        for (i = 0; i < 500; i++)
25:        {
26:            pCat = new CAT;
27:            pCat->SetAge(2*i +1);
28:            Family[i] = pCat;
29:        }
30:
31:        for (i = 0; i < 500; i++)
32:            cout << "Cat #" << i+1 << ": ";
33:            cout << Family[i]->GetAge() << endl;
34:        return 0;
35:    }
```

`Resultaat`

```
Cat #1: 1
Cat #2: 3
Cat #3: 5
...
Cat #499: 997
Cat #500: 999
```

In de eerste lus (regels 24 t/m 29) worden er 500 nieuwe CAT-objecten in het vrije geheugen gemaakt. Voor elk object is de leeftijd ingesteld op tweemaal de index plus één. Daarom is de eerste CAT op 1 gesteld, de tweede CAT op 3 , de derde CAT op 5, enzovoort. Ten slotte wordt de pointer aan de array toegevoegd.

Omdat bij de declaratie van de array is opgegeven dat de array pointers bevat, wordt de pointer – en dus niet de gederefentieerde waarde in de pointer – aan de array toegevoegd.

In de tweede lus (regels 31 en 32) worden alle waarden afgedrukt. De pointer is toegankelijk via de index, Family[i]. Dat adres wordt vervolgens gebruikt voor toegang tot de methode GetAge().

In dit voorbeeld zijn de array Family en alle pointers in de stack opgeslagen, maar zijn de 500 gemaakte CAT-objecten in het vrije geheugen opgeslagen. In dit eenvoudige voorbeeld wissen we deze objecten niet, omdat het programma wordt beëindigd, maar in een 'echt' programma moet u ervoor zorgen dat dit geheugen wordt vrijgemaakt om geheugenlekken te voorkomen.

ARRAYS DECLAREREN IN HET VRIJE GEHEUGEN

Het is mogelijk de gehele array in het vrije geheugen, ofwel de *heap*, te plaatsen. U doet dit door new aan te roepen en de subscript-operator te gebruiken. Het resultaat is een pointer naar een gebied in het vrije geheugen dat de array bevat. Voorbeeld:

```
CAT *Family = new CAT[500];
```

Hierdoor wordt Family gedeclareerd als pointer die naar de eerste CAT in een array van 500 CAT-objecten wijst. Met andere woorden: Family wijst naar (of heeft het adres van) Family[0].

Als Family op deze manier wordt gebruikt, is het voordeel dat er voor toegang tot elke lid van Family pointer-berekeningen kunnen worden toegepast. U kunt bijvoorbeeld het volgende schrijven:

```
CAT *Family = new CAT[500];
CAT *pCat = Family;          // pCat wijst naar Family[0]
pCat->SetAge(10);            // zet Family[0] op 10
pCat++;                      // ga door naar Family[1]
pCat->SetAge(20);            // zet Family[1] op 20
```

Hierdoor wordt een nieuwe array van 500 CAT-objecten gedeclareerd en een pointer die naar het begin van de array wijst. Met die pointer wordt de eerste functie SetAge() van CAT met de waarde 10 aangeroepen. De pointer wordt daarna opgehoogd zodat naar de volgende CAT wordt gewezen, waarna de tweede methode SetAge() van CAT wordt aangeroepen.

EEN POINTER NAAR EEN ARRAY VERSUS EEN ARRAY MET POINTERS

Bestudeer de volgende drie declaraties:

```
1:  CAT    FamilyOne[500]
2:  CAT *  FamilyTwo[500];
3:  CAT *  FamilyThree = new CAT[500];
```

`FamilyOne` is een array met 500 `CAT`-objecten. `FamilyTwo` is een array met 500 pointers naar `CAT`-objecten. `FamilyThree` is een pointer naar een array van 500 `CAT`-objecten.

De verschillen tussen deze drie coderegels hebben een aanzienlijke invloed op de wijze waarop deze arrays functioneren. Misschien nog verrassender is het feit dat `FamilyThree` een variant is van `FamilyOne`, maar sterk verschilt van `FamilyTwo`.

Dit werpt de netelige vraag op wat het verband tussen pointers en arrays is. In het derde geval is `FamilyThree` een pointer naar een array. Dat wil zeggen dat het adres in `FamilyThree` het adres van het eerste item in de array is. Dit geldt ook voor `FamilyOne`.

POINTERS EN NAMEN VAN ARRAYS

In C++ is de naam van een array een constante pointer naar het eerste element in de array. In de declaratie

```
CAT Family[50];
```

is `Family` daarom de pointer naar `&Family[0]`, dat het adres van het eerste element van de array `Family` is.

Het is toegestaan de namen van arrays als constante pointers te gebruiken, en andersom. Daarom is `Family + 4` een legitieme manier om toegang tot de gegevens van `Family[4]` te krijgen.

De compiler voert al het rekenwerk uit wanneer u aan pointers toevoegt, of deze incrementeert of decrementeert. Het adres dat u met `Family + 4` benadert, bevindt zich niet 4 bytes voorbij het adres van `Family`, maar 4 objecten voorbij dit adres. Als elk object 4 bytes lang is, dan is `Family + 4` 16 bytes. Als elk object een `CAT` is met vier `long` lidvariabelen van elk 4 bytes en twee `short` lidvariabelen van elk 2 bytes, is elke `CAT` 20 bytes en is `Family + 4` 80 bytes voorbij het begin van de array.

In programma 19.3 ziet u een voorbeeld van de declaratie en de toepassing van een array in het vrije geheugen.

Programma 19.3 Een array maken met behulp van new

```
1:    // Programma 19.3: Een array in het vrije geheugen
2:
3:    #include <iostream.h>
```

Programma 19.3 Vervolg

```
4:
5:    class CAT
6:    {
7:    public:
8:        CAT() { itsAge = 1; itsWeight=5; }
9:        ~CAT();
10:       int GetAge() const { return itsAge; }
11:       int GetWeight() const { return itsWeight; }
12:       void SetAge(int age) { itsAge = age; }
13:
14:   private:
15:       int itsAge;
16:       int itsWeight;
17:   };
18:
19:   CAT :: ~CAT()
20:   {
21:       // cout << "Destructor called!\n";
22:   }
23:
24:   int main()
25:   {
26:       CAT * Family = new CAT[500];
27:       int i;
28:       CAT * pCat;
29:       for (i = 0; i < 500; i++)
30:       {
31:           pCat = new CAT;
32:           pCat->SetAge(2*i +1);
33:           Family[i] = *pCat;
34:           delete pCat;
35:       }
36:
37:       for (i = 0; i < 500; i++)
38:       {
39:           cout << "Cat #" << i+1 << ": ";
40:           cout << Family[i].GetAge() << endl;
41:       }
42:
43:       delete [] Family;
44:
45:       return 0;
46:   }
```

```
Cat #1: 1
Cat #2: 3
Cat #3: 5
...
Cat #499: 997
Cat #500: 999
```

Op regel 26 wordt de array Family gedeclareerd, die 500 CAT-objecten bevat. De gehele array wordt in het vrije geheugen gecreëerd met de aanroep naar new CAT[500].

Elk CAT-object dat aan de array wordt toegevoegd, wordt ook in het vrije geheugen gemaakt (regel 31). Merk wel op dat deze keer niet de pointer aan de array wordt toegevoegd maar het object zelf. Deze array is geen array met pointers naar CAT-objecten; het is een array met CAT-objecten.

ARRAYS IN HET VRIJE GEHEUGEN WISSEN

Family is een pointer naar de array in het vrije geheugen. Wanneer op regel 33 dereferentie op de pointer pCat wordt toegepast, wordt het CAT-object zelf in de array opgeslagen (waarom ook niet; de array bevindt zich in het vrije geheugen). pCat wordt echter opnieuw gebruikt in de volgende herhaling van de lus. Bestaat het gevaar dat er nu geen pointer naar het CAT-object meer is en dat er een geheugenlek tot stand is gebracht?

Dit zou een groot probleem zijn, ware het niet dat al het geheugen dat voor de array is gereserveerd bij het wissen van Family wordt teruggegeven. De compiler is slim genoeg om elk object in de array te vernietigen en het gebruikte geheugen terug te geven aan het vrije geheugen.

Om dit te bekijken wijzigt u de grootte van de array op de regels 26, 29 en 37 van 500 in 10. Vervolgens verwijdert u de commentaartekens (//) op regel 21. Wanneer regel 40 wordt bereikt en de array wordt vernietigd, wordt de destructor voor elk CAT-object aangeroepen.

Als u met new een item in de heap maakt, wist u dat item altijd, en maakt u het geheugen altijd vrij, met delete. Ongeveer hetzelfde geldt wanneer u een array maakt met behulp van new

`<klasse>[grootte]`: u wist die array en maakt al het geheugen vrij met `delete[]`. De vierkante haakjes geven een signaal aan de compiler dat deze array wordt gewist.

Als u de vierkante haakjes weglaat, wordt alleen het eerste object in de array gewist. U kunt dit voor uzelf testen door de vierkante haakjes op regel 40 te verwijderen. Als u regel 21 zo bewerkt dat de destructor wordt afgedrukt, ziet u dat er slechts één `CAT`-object wordt vernietigd. Gefeliciteerd! U hebt zojuist een geheugenlek veroorzaakt!

In deze les hebt u geleerd hoe u arrays maakt en manipuleert.

TEKEN-ARRAYS

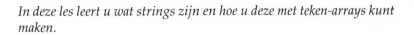

In deze les leert u wat strings zijn en hoe u deze met teken-arrays kunt maken.

ARRAYS VAN HET TYPE char

De enige strings die u tot nu toe bent tegengekomen zijn onbenoemde string-constanten in `cout`-statements, zoals:

```
cout < "hello world.\n";
```

In C++ is een string een array met tekens (`char`) die wordt afgesloten door het nulteken. U kunt een string op dezelfde manier als elke andere array declareren en een beginwaarde geven. Voorbeeld:

```
{ 'H', 'e', 'l', 'l', 'o', ' ', 'W', 'o', 'r', 'l', 'd', '\0' };
```

Het laatste teken, `'\0'`, is het null-teken, dat door veel C++-functies als het logische einde van de string wordt herkend.

> **String** Een reeks tekens.

Deze teken-voor-teken-benadering functioneert weliswaar, maar typen is lastig en biedt veel kans op fouten. Met C++ kunt u een verkorte vorm van de vorige coderegel toepassen:

```
char Greeting[] = "Hello World";
```

Deze syntaxis heeft twee bijzonderheden:

- In plaats van door komma's van elkaar gescheiden tekens met enkele aanhalingstekens tussen accolades, ziet u een string tussen dubbele aanhalingstekens, zonder komma's of accolades.

- U hoeft het null-teken niet toe te voegen, omdat de compiler dat voor u doet.

De string Hello World is 12 bytes: Hello is 5 bytes, de spatie is 1 byte, World is 5 bytes en het null-teken is 1 byte.

U kunt ook teken-arrays zonder beginwaarde maken. Voor alle arrays geldt dat het belangrijk is dat u niet meer in de buffer zet dan mogelijk is.

In programma 20.1 wordt een buffer zonder beginwaarde gedemonstreerd.

Programma 20.1   Een array opvullen

```
1:    // Programma 20.1: buffers bij teken-arrays
2:
3:    #include <iostream.h>
4:
5:    int main()
6:    {
7:        char buffer[80];
8:        cout << "Enter the string: ";
9:        cin >> buffer;
10:       cout << "Here's the buffer:  " << buffer << endl;
11:       return 0;
12:   }
```

`Resultaat`

```
Enter the string: Hello World
Here's the buffer: Hello
```

Op regel 7 wordt een buffer gedeclareerd die 80 tekens kan bevatten. Deze buffer is groot genoeg om een string van 79 tekens en een afsluitend null-teken te bevatten.

Op regel 8 wordt de gebruiker gevraagd om een string in te voeren, die op regel 9 in de buffer wordt ingevoerd. Door de syntaxis van cin wordt er een afsluitende nul naar de buffer geschreven, nadat de string naar de buffer is geschreven.

Er doen zich in programma 20.1 twee problemen voor. Ten eerste schrijft cin voorbij de buffer als de gebruiker meer dan 79 tekens invoert. Ten tweede stopt cin met naar de buffer schrijven zodra er door de gebruiker een spatie wordt getypt, omdat cin er dan van uitgaat dat het einde van de string is bereikt. Om deze problemen op te lossen, moet u een speciale methode voor cin aanroepen: get(). cin.get() kent drie parameters:

- De buffer die moet worden gevuld

- Het maximale aantal tekens dat moet worden opgehaald

- De begrenzer die de invoer beëindigt

De standaardbegrenzer is newline. In programma 20.2 wordt er een voorbeeld van gegeven.

Programma 20.2   cin.get() toepassen

```
1:    // Programma 20.2: cin.get() toepassen
2:
3:    #include <iostream.h>
4:
5:    int main()
6:    {
7:        char buffer[80];
8:        cout << "Enter the string: "; // tot 79 of newline
9:        cin.get(buffer, 79);
10:       cout << "Here's the buffer:  " << buffer << endl;
11:       return 0;
12:   }
```
| Resultaat |
```
Enter the string: Hello World
Here's the buffer: Hello World
```

Op regel 9 wordt de lidfunctie get() van cin aangeroepen. De buffer die op regel 7 is gedeclareerd wordt als het eerste argument doorgegeven. Het tweede argument is het maximale aantal tekens dat wordt opgehaald. In dit geval is dat aantal 79 om ruimte voor de afsluitende nul over te houden. Het is niet nodig voor een afsluitend teken te zorgen omdat de standaardwaarde van newline voldoende is.

strcpy() EN strncpy()

C++ heeft een bibliotheek met functies voor het afhandelen van strings van C geërfd. Tussen de vele beschikbare functies zijn er twee waarmee een string in een andere kan worden gekopieerd: strcpy() en strncpy(). strcpy() kopieert de volledige inhoud van een string in de aangewezen buffer. In programma 20.3 wordt de toepassing verduidelijkt.

Programma 20.3 `strcpy()` toepassen

```
1:   #include <iostream.h>
2:   #include <string.h>
3:   int main()
4:   {
5:       char String1[] = "No man is an island";
6:       char String2[80];
7:
8:       strcpy(String2,String1);
9:
10:      cout << "String1: " << String1 << endl;
11:      cout << "String2: " << String2 << endl;
12:      return 0;
13:  }
```

`Resultaat`
```
String1: No man is an island
String2: No man is an island
```

Het header-bestand STRING.H is op regel 2 opgenomen. Dit bestand bevat het prototype van de functie strcpy(). strcpy() heeft twee teken-arrays: een doel gevolgd door een bron. Als de bron groter is dan het doel, overschrijft strcpy() de buffer tot voorbij het einde.

Om hiertegen te beveiligen is ook strncpy() in de standaardbibliotheek opgenomen. Deze variant accepteert het maximale aantal tekens dat mag worden gekopieerd. strncpy() kopieert tot aan het eerste null-teken van het maximale aantal tekens dat in de doelbuffer is opgegeven.

In programma 20.4 wordt de toepassing van strncpy() verduidelijkt.

Programma 20.4 `strncpy()` gebruiken

```
1:   #include <iostream.h>
2:   #include <string.h>
3:   int main()
4:   {
5:       const int MaxLength = 80;
6:       char String1[] = "No man is an island";
7:       char String2[MaxLength+1];
8:
9:
```

```
10:      strncpy(String2,String1,MaxLength);
11:      String2[strlen(String1)] = '\0';
12:      cout << "String1: " << String1 << endl;
13:      cout << "String2: " << String2 << endl;
14:      return 0;
15:  }
```

| Resultaat |

```
String1: No man is an island
String2: No man is an island
```

Op regel 10 is de aanroep van strcpy() gewijzigd in een aanroep van strncpy(), die een derde parameter accepteert: het maximale aantal tekens dat mag worden gekopieerd. De buffer String2 is gedeclareerd voor MaxLength+1 tekens. Het extra teken is voor de nul die de string afsluit.

STRING-KLASSEN

Moderne compilers voor C++ worden geleverd met een klassebibliotheek waarin een grote verzameling klassen voor gegevensmanipulatie is opgenomen. De standaardbibliotheek omvat nu ook een object-geörienteerde string-klasse.

C++ heeft de met nul afgesloten string en de bibliotheek met functies waarin strcpy() is opgenomen van C geërfd, maar deze functies zijn niet in een object-geörienteerd kader opgenomen. De klasse String biedt een ingekapselde verzameling gegevens en functies voor de manipulatie van die gegevens, naast accessorfuncties waarmee de data zelf voor de clients van de klasse String kan worden verborgen.

In deze les hebt u geleerd hoe arrays met tekens als 'strings' kunnen worden gemanipuleerd.

OVERERVING

21

In deze les leert u hoe in C++ een zeer belangrijk relatie wordt vastgelegd: specialisatie/generalisatie.

WAT IS OVERERVING?

Wat betekent het precies wanneer ik zeg dat iets een bepaalde soort van iets is? Ik bedoel daarmee dat het een specialisatie van dat laatste is. Een hond is bijvoorbeeld een speciaal soort zoogdier. Honden en paarden zijn beide zoogdieren. Ze worden onderscheiden door specifieke kenmerken, die we hun 'hondachtigheid' of 'paardachtigheid' zullen noemen, maar in de mate waarin ze zoogdieren zijn, zijn ze gelijk. Ze delen hun 'zoogdierachtigheid'.

C++ tracht deze relaties weer te geven door u in staat te stellen klassen te definiëren die van elkaar zijn afgeleid. Afleiden is een manier waarmee een bepaalde relatie kan worden aangegeven. U leidt een nieuwe klasse, hond, af van de klasse zoogdieren. Van een klasse die nieuwe functionaliteit aan een bestaande klasse toevoegt zegt men dat deze van die klasse is afgeleid. De oorspronkelijke klasse wordt de basisklasse van de nieuwe klasse genoemd.

Doorgaans heeft een basisklasse meer dan één afgeleide klasse. Net zoals de klassen honden, katten en paarden, die allemaal zoogdiersoorten zijn, zijn afgeleid van de klasse zoogdieren.

DE SYNTAXIS VAN AFGELEIDE KLASSEN

Wanneer u een klasse declareert, geeft u de klasse waarvan deze is afgeleid aan door het volgende achter de naam van de klasse te schrijven: een dubbele punt, het type afleiding (public of iets anders) en de klasse waarvan de klasse is afgeleid. Voorbeeld:

```
class Dog : public Mammal
```

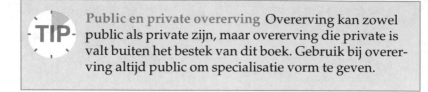

Public en private overerving Overerving kan zowel public als private zijn, maar overerving die private is valt buiten het bestek van dit boek. Gebruik bij overerving altijd public om specialisatie vorm te geven.

De klasse waarvan u de nieuwe klasse afleidt moet eerder zijn gedeclareerd, want anders krijgt u een compileerfout. In programma 21.1 wordt verduidelijkt hoe u een klasse Dog declareert die van een klasse Mammal is afgeleid.

Programma 21.1 Eenvoudige overerving

```
1:   // Programma 21.1: Eenvoudige overerving
2:
3:   #include <iostream.h>
4:   enum BREED
5:   {
6:       YORKIE, CAIRN, DANDIE, SHETLAND, DOBERMAN, LAB
7:   };
8:
9:   class Mammal
10:  {
11:  public:
12       // constructors
13:      Mammal();
14:      ~Mammal();
15:
16:      //accessors
17:      int GetAge()const;
18:      void SetAge(int);
19:      int GetWeight() const;
20:      void SetWeight();
21:
22:      //Andere methoden
23:      void Speak() const;
24:      void Sleep() const;
25:
26:
27:  protected:
28:      int itsAge;
29:      int itsWeight;
30:  };
```

```
31:
32:  class Dog : public Mammal
33:  {
34:  public:
35:
36:       // Constructors
37:       Dog();
38:       ~Dog();
39:
40:       // Accessors
41:       BREED GetBreed() const;
42:       void SetBreed(BREED);
43:
44:       // Andere methoden
45:       WagTail() const;
46:       BegForFood() const;
47:
48:  protected:
49:       BREED itsBreed;
50:  };
```

Dit programma heeft geen uitvoer, omdat het alleen een verzameling klassedeclaraties zonder implementaties betreft. Desondanks valt er veel te zien.

Op de regels 9 t/m 30 wordt de klasse Mammal gedeclareerd. Merk op dat Mammal in dit voorbeeld niet van een andere klasse is afgeleid. In werkelijkheid zijn zoogdieren (mammals), als diersoort, wel van andere dieren afgeleid. In een C++-programma kunt u slechts een fractie weergeven van de informatie die u over een gegeven object hebt. De werkelijkheid is veel te gecompliceerd om volledig vast te leggen. Daarom is elke C++-structuur een willekeurige weergave van de beschikbare gegevens. Het geheim van een goed ontwerp is dat u de gebieden die uw belangstelling hebben zodanig gestalte geeft dat de realiteit redelijk betrouwbaar in kaart wordt gebracht.

De hiërarchie moet ergens beginnen: dit programma begint met Mammal. Door dit besluit worden enkele lidvariabelen die eigenlijk in een hogere basisklasse behoren hier weergegeven. Alle dieren hebben bijvoorbeeld een leeftijd en een gewicht. Als Mammal dus van Animal is afgeleid, mag men aannemen dat die kenmerken zijn overgeërfd. In plaats daarvan verschijnen die kenmerken in de klasse Mammal.

Om het programma redelijk eenvoudig en handelbaar te houden, zijn er slechts zes methoden in de klasse Mammal geplaatst: vier accessor-methoden, Speak(), en Sleep().

De klasse Dog erft van Mammal, zoals op regel 32 wordt aangegeven. Elk Dog-object heeft drie lidvariabelen: itsAge, itsWeight en itsBreed. Merk op dat in de klassedeclaratie voor Dog niet de lidvariabelen itsAge en itsWeight zijn opgenomen. Dog-objecten erven deze variabelen van de klasse Mammal, samen met alle methoden van Mammal behalve de copy-operator, de constructors en de destructor.

PRIVATE VERSUS PROTECTED LEDEN

Het is u misschien opgevallen dat er op de regels 27 en 48 van programma 21.1 een nieuw gereserveerd woord, protected, is geïntroduceerd. Voorheen werden klassegegevens als private gedeclareerd. private leden zijn echter niet beschikbaar voor afgeleide klassen. U kunt itsAge en itsWeight public maken, maar dat is niet wenselijk. Het is niet de bedoeling dat deze dataleden rechtstreeks toegankelijk zijn voor andere klassen.

U hebt een aanduiding nodig die het volgende aangeeft: 'Maak deze dataleden zichtbaar voor deze klasse en voor de klassen die van deze klasse zijn afgeleid.' Die aanduiding is protected. Dataleden en functies die met protected zijn aangeduid, zijn volledig zichtbaar voor afgeleide klassen, maar zijn overigens private.

Er bestaan in totaal drie toegangsaanduidingen: public, protected en private. Als een functie een object van uw klasse heeft, heeft deze toegang tot alle public lidgegevens en functies. De lidfuncties hebben op hun beurt toegang tot alle private dataleden en functies van hun eigen klasse, en tot alle protected dataleden en functies van elke willekeurige klasse waarvan ze zijn afgeleid.

Daarom heeft de functie Dog::WagTail() toegang tot de private gegevens itsBreed en tot de protected gegevens in de klasse Mammal.

Zelfs als er klassen tussen Mammal en Dog liggen (bijvoorbeeld DomesticAnimals) heeft de klasse Dog toegang tot de protected leden van Mammal. Daarbij wel aangenomen dat deze andere klassen public overerving toepassen.

In programma 21.2 wordt gedemonstreerd hoe u objecten van het
type Dog maakt en toegang tot de gegevens en functies van dat
type krijgt.

Programma 21.2 Een afgeleid object gebruiken

```
1:    // Programma 21.2: Een afgeleid object gebruiken
2:
3:    #include <iostream.h>
4:    enum BREED { YORKIE, CAIRN, DANDIE, SHETLAND, DOBERMAN, LAB };
5:
6:    class Mammal
7:    {
8:    public:
9:        // constructors
10:       Mammal():itsAge(2), itsWeight(5){}
11:       ~Mammal(){}
12:
13:       //accessors
14:       int GetAge()const { return itsAge; }
15:       void SetAge(int age) { itsAge = age; }
16:       int GetWeight() const { return itsWeight; }
17:       void SetWeight(int weight) { itsWeight = weight; }
18:
19:       //Andere methoden
20:        void Speak() const { cout << "Mammal sound!\n"; }
21:       void Sleep() const
22:           { cout << "shhh. I'm sleeping.\n"; }
23:
24:
25:   protected:
26:       int itsAge;
27:       int itsWeight;
28:   };
29:
30:   class Dog : public Mammal
31:   {
32:   public:
33:
34:       // Constructors
35:       Dog():itsBreed(YORKIE){}
36:       ~Dog(){}
37:
```

Programma 21.2   Vervolg

```
38:        // Accessors
39:        BREED GetBreed() const { return itsBreed; }
40:        void SetBreed(BREED breed) { itsBreed = breed; }
41:
42:        // Andere methoden
43:        void WagTail() const
44:            { cout << "Tail wagging...\n"; }
45:        void BegForFood() const
46:            { cout << "Begging for food...\n"; }
47:
48: private:
49:        BREED itsBreed;
50: };
51:
52: int main()
53: {
54:        Dog fido;
55:        fido.Speak();
56:        fido.WagTail();
57:        cout << "Fido is " << fido.GetAge();
58:        cout << " years old\n";
59: return 0;
60: }
```

Resultaat
```
Mammal sound!
Tail wagging...
Fido is 2 years old
```

Op de regels 6 t/m 28 wordt de klasse Mammal gedeclareerd (alle functies van deze klasse zijn *inline* om hier ruimte te besparen). Op de regels 30 t/m 50 wordt de klasse Dog gedeclareerd als een afgeleide klasse van Mammal. Door deze declaraties hebben alle Dog-objecten een leeftijd, een gewicht en een ras.

Op regel 54 wordt een Dog gedeclareerd: Fido. Fido erft alle kenmerken van een Mammal, en alle kenmerken van een Dog. Daarom beschikt Fido over kennis over WagTail(), maar ook over Speak() en Sleep().

In deze les hebt u geleerd hoe u met overerving specialisatie en generalisatie vorm geeft.

KWESTIES BIJ OVERERVING

22

In deze les leert u hoe de kwesties afhandelt die met overerving samenhangen.

CONSTRUCTORS EN DESTRUCTORS

Dog-objecten zijn Mammal-objecten. Dit is het wezen van de relatie *is een*. Wanneer Fido wordt gemaakt, wordt er eerst een basisconstructor aangeroepen, waardoor een Mammal wordt gecreëerd. Daarna wordt de Dog-constructor aangeroepen, die de constructie van het Dog-object voltooit. Omdat u Fido geen parameters hebt meegegeven, wordt in beide gevallen de standaardconstructor aangeroepen. Fido bestaat niet totdat hij volledig is geconstrueerd, wat betekent dat zowel het Mammal-gedeelte als het Dog-gedeelte moeten zijn geconstrueerd. Daarom moeten beide constructors worden aangeroepen.

Wanneer Fido wordt vernietigd, wordt eerst de Dog-destructor aangeroepen en daarna de destructor voor het Mammal-gedeelte van Fido. Elke destructor krijgt de kans na het eigen gedeelte van Fido op te ruimen. Vergeet niet op te ruimen achter de Dog!

ARGUMENTEN AAN BASISCONSTRUCTORS DOORGEVEN

Het is mogelijk dat u overloading op de Dog-constructor wilt toepassen om deze een bepaalde leeftijd te laten accepteert, en dat u overloading op de Dog-constructor wilt toepassen om deze een bepaald ras te laten accepteren. Hoe geeft u de parameters voor leeftijd en gewicht door aan de juiste constructor in Mammal? Wat als u voor Dogs het gewicht wilt initialiseren maar voor Mammals niet?

De initialisatie van basisklassen kan tijdens de initialisatie van een klasse worden uitgevoerd door de naam van de basisklasse te schrijven, gevolgd door de parameters die door de basisklasse worden verwacht. In programma 22.1 ziet u hier een voorbeeld van.

Programma 22.1 Overloading toepassen op constructors in afgeleide klassen

```
1:    //Programma 22.1: Overloading bij constructors
2:
3:    #include <iostream.h>
4:    enum BREED
5:    {
6:        YORKIE, CAIRN, DANDIE, SHETLAND, DOBERMAN, LAB
7:    };
8:
9:    class Mammal
10:   {
11:   public:
12:       // constructors
13:       Mammal();
14:       Mammal(int age);
15:       ~Mammal();
16:
17:       //accessors
18:       int GetAge() const { return itsAge; }
19:       void SetAge(int age) { itsAge = age; }
20:       int GetWeight() const { return itsWeight; }
21:       void SetWeight(int weight)
22:           { itsWeight = weight; }
23:
24:       //Andere methoden
25:       void Speak() const { cout << "Mammal sound!\n"; }
26:       void Sleep() const
27:           { cout << "shhh. I'm sleeping.\n"; }
28:
29:
30:   protected:
31:       int itsAge;
32:       int itsWeight;
33:   };
34:
35:   class Dog : public Mammal
36:   {
```

```
37:  public:
38:
39:      // Constructors
40:      Dog();
41:      Dog(int age);
42:      Dog(int age, int weight);
43:      Dog(int age, BREED breed);
44:      Dog(int age, int weight, BREED breed);
45:      ~Dog();
46:
47:      // Accessors
48:      BREED GetBreed() const { return itsBreed; }
49:      void SetBreed(BREED breed) { itsBreed = breed; }
50:
51:      // Andere methoden
52:      void WagTail() const
53:          { cout << "Tail wagging...\n"; }
54:      void BegForFood() const
55:          { cout << "Begging for food...\n"; }
56:
57:  private:
58:      BREED itsBreed;
59:  };
60:
61:  Mammal::Mammal():
62:  itsAge(1),
63:  itsWeight(5)
64:  {
65:      cout << "Mammal constructor...\n";
66:  }
67:
68:  Mammal::Mammal(int age):
69:  itsAge(age),
70:  itsWeight(5)
71:  {
72:      cout << "Mammal(int) constructor...\n";
73:  }
74:
75:  Mammal::~Mammal()
76:  {
77:      cout << "Mammal destructor...\n";
78:  }
79:
```

Programma 22.1 Vervolg

```
80:  Dog::Dog():
81:  Mammal(),
82:  itsBreed(YORKIE)
83:  {
84:      cout << "Dog constructor...\n";
85:  }
86:
87:  Dog::Dog(int age):
88:  Mammal(age),
89:  itsBreed(YORKIE)
90:  {
91:      cout << "Dog(int) constructor...\n";
92:  }
93:
94:  Dog::Dog(int age, int weight):
95:  Mammal(age),
96:  itsBreed(YORKIE)
97:  {
98:      itsWeight = weight;
99:      cout << "Dog(int, int) constructor...\n";
100: }
101:
102: Dog::Dog(int age, int weight, BREED breed):
103: Mammal(age),
104: itsBreed(breed)
105: {
106:     itsWeight = weight;
107:     cout << "Dog(int, int, BREED) constructor...\n";
108: }
109:
110: Dog::Dog(int age, BREED breed):
111: Mammal(age),
112: itsBreed(breed)
113: {
114:     cout << "Dog(int, BREED) constructor...\n";
115: }
116:
117: Dog::~Dog()
118: {
119:     cout << "Dog destructor...\n";
120: }
121: int main()
122: {
```

```
123:      Dog fido;
124:      Dog rover(5);
125:      Dog buster(6,8);
126:      Dog yorkie (3,YORKIE);
127:      Dog dobbie (4,20,DOBERMAN);
128:      fido.Speak();
129:      rover.WagTail();
130:      cout << "Yorkie is " << yorkie.GetAge();
131:      cout << " years old\n";
132:      cout << "Dobbie weighs " << dobbie.GetWeight();
133:      cout << " pounds\n";
134:   return 0;
135: }
```

 Regelnummers in uitvoer De uitvoer is genummerd, zodat er in de analyse naar elke regel kan worden verwezen. Deze nummers worden in de echte uitvoer niet afgedrukt.

Resultaat

```
1:  Mammal constructor...
2:  Dog constructor...
3:  Mammal(int) constructor...
4:  Dog(int) constructor...
5:  Mammal(int) constructor...
6:  Dog(int, int) constructor...
7:  Mammal(int) constructor...
8:  Dog(int, BREED) constructor....
9:  Mammal(int) constructor...
10: Dog(int, int, BREED) constructor...
11: Mammal sound!
12: Tail wagging...
13: Yorkie is 3 years old.
14: Dobie weighs 20 pounds.
15: Dog destructor. . .
16: Mammal destructor...
17: Dog destructor...
18: Mammal destructor...
19: Dog destructor...
20: Mammal destructor...
21: Dog destructor...
22: Mammal destructor...\
23: Dog destructor...
24: Mammal destructor...
```

In programma 22.1 is er overloading op de constructor van Mammal toegepast en accepteert deze een integer, de leeftijd van Mammal. Bij de implementatie op de regels 68 t/m 73 krijgt itsAge als beginwaarde de waarde die aan de constructor is doorgegeven, en krijgt itsWeight de beginwaarde 5.

Voor Dog is overloading op vijf constructors toegepast, en wel op de regels 40 t/m 44. De eerste constructor is de standaardconstructor. De tweede constructor accepteert de leeftijd (age), dezelfde parameter die de constructor van Mammal accepteert. De derde constructor accepteert zowel de leeftijd (age) als het gewicht (weight), de vierde accepteert de leeftijd (age) en het ras (breed), en de vijfde accepteert de leeftijd (age), het gewicht (weight) en het ras (breed).

Merk op dat de standaardconstructor op regel 81 de standaardconstructor van Mammal aanroept. Hoewel het niet strikt noodzakelijk is dit te doen, fungeert deze aanroep als een bewijs dat u van plan was de basisconstructor aan te roepen, die geen parameters accepteert. De basisconstructor zou toch wel worden aangeroepen, maar door het daadwerkelijk te doen maakt u uw bedoelingen duidelijk.

De implementatie van de constructor van Dog, die een integer accepteert, vindt plaats op de regels 87 t/m 92. In de initialisatiefase (regel 88 en 89), initialiseert Dog zijn basisklasse, geeft de parameter door en initialiseert daarna een ras.

Op de regels 94 t/m 100 ziet u een andere constructor van Dog. Deze accepteert twee parameters. De basisklasse wordt opnieuw geïnitialiseerd door het aanroepen van de juiste constructor, maar deze keer wordt ook weight aan de variabele itsweight van de basisklasse toegewezen. Merk op dat u in de initialisatiefase niets aan de variabele van de basisklasse kunt toewijzen. Omdat Mammal geen constructor heeft die deze parameter accepteert, moet u dit in de body van de Dog-constructor doen.

De uitvoer is genummerd, zodat in deze analyse naar elke regel kan worden verwezen. De eerste twee regels van de uitvoer geven de realisering van Fido weer met behulp van de standaardconstructor.

In de uitvoer stellen de regels 3 en 4 de totstandkoming van *rover* voor. De regels 5 en 6 stellen *buster* voor. Neem er nota van dat de constructor voor Mammal die is aangeroepen de constructor is die één integer accepteert, maar dat de constructor voor Dog de constructor is die twee integers accepteert.

Nadat de objecten zijn gemaakt, worden ze alle gebruikt en vallen vervolgens buiten de scope. Terwijl elk object wordt vernietigd, wordt er eerst een destructor voor Dog en dan een destructor voor Mammal aangeroepen. Er zijn er in totaal vijf van elk.

FUNCTIES OVERSCHRIJVEN

Een Dog-object heeft toegang tot alle lidfuncties in de klasse Mammal en daarnaast tot alle lidfuncties, zoals WagTail(), die eventueel bij de declaratie van de klasse Dog kunnen worden toegevoegd. Een Dog-object kan een functie van de basisklasse ook overschrijven. Overschrijven van een functie houdt in dat de implementatie van een functie in de basisklasse wordt gewijzigd in die in een afgeleide klasse. Wanneer u een object van de afgeleide klasse maakt, wordt de juiste functie aangeroepen.

Wanneer een afgeleide klasse een functie met hetzelfde return-type en dezelfde signatuur maakt als die van een lidfunctie in de basisklasse, maar met een nieuwe implementatie, wordt die methode vervangen. We spreken van overschrijven of *overriding*.

Wanneer u een functie overschrijft, moet deze voor wat betreft return-type en signatuur met de functie in de basisklasse overeenkomen. De signatuur is het functieprototype, afgezien van het return-type. Dat wil zeggen: de naam, de parameterlijst en het gereserveerde woord const, indien van toepassing.

De signatuur van een functie is de naam, en het aantal en het type parameters. Het return-type maakt geen deel uit van de signatuur.

In programma 22.2 wordt verduidelijkt wat er gebeurt als de klasse Dog de methode Speak() in Mammal overschrijft. Om ruimte te besparen, zijn de accessor-functies uit de klassen weggelaten.

Programma 22.2   Een methode in een basisklasse overschrijven in een afgeleide klasse

```
1:   //Programma 22.2: Een methode in een basisklasse overschrijven
2:
3:   #include <iostream.h>
4:   enum BREED
5:   {
6:       YORKIE, CAIRN, DANDIE, SHETLAND, DOBERMAN, LAB
7:   };
8:
9:   class Mammal
10:  {
11:  public:
12:      // constructors
13:      Mammal() { cout << "Mammal constructor...\n"; }
14:      ~Mammal() { cout << "Mammal destructor...\n"; }
15:
16:      //Andere methoden
17:      void Speak()const { cout << "Mammal sound!\n"; }
18:      void Sleep()const
19:          { cout << "shhh. I'm sleeping.\n"; }
20:
21:
22:  protected:
23:      int itsAge;
24:      int itsWeight;
25:  };
26:
27:  class Dog : public Mammal
28:  {
29:  public:
30:
31:      // Constructors
32:      Dog(){ cout << "Dog constructor...\n"; }
33:      ~Dog(){ cout << "Dog destructor...\n"; }
34:
35:      // Andere methoden
36:      void WagTail() const { cout
         << "Tail wagging...\n"; }
37:      void BegForFood() const
38:          { cout << "Begging for food...\n"; }
39:      void Speak() const { cout << "Woof!\n"; }
40:
```

```
41:   private:
42:       BREED itsBreed;
43:   };
44:
45:   int main()
46:   {
47:       Mammal bigAnimal;
48:       Dog fido;
49:       bigAnimal.Speak();
50:       fido.Speak();
51:   return 0;
52:   }
```

Resultaat
```
Mammal constructor...
Mammal constructor...
Dog constructor...
Mammal sound!
Woof!
Dog destructor...
Mammal destructor...
Mammal destructor...
```

Op regel 39 overschrijft de klasse Dog de methode Speak(), waardoor Dog-objecten Woof! zeggen wanneer de methode Speak() wordt aangeroepen. Op regel 47 wordt een Mammal-object, bigAnimal, gemaakt. Hierdoor wordt de eerste regel uitvoer gegenereerd wanneer de constructor voor Mammal wordt aangeroepen. Op regel 48 wordt een Dog-object, fido, gemaakt. Hierdoor worden de volgende twee regels uitvoer gegenereerd, waarbij eerst de constructor voor Mammal en vervolgens de constructor voor Dog worden aangeroepen.

Op regel 49 roept het Mammal-object de methode Speak() aan. Daarna roept het Dog-object op regel 50 de methode Speak() aan. De uitvoer geeft aan dat de juiste methoden zijn aangeroepen. Ten slotte vallen de twee objecten buiten de scope en worden de destructors aangeroepen.

OVERLOADING VERSUS OVERRIDING

Deze termen lijken op elkaar en doen ongeveer hetzelfde. Wanneer u overloading op een methode toepast, vervaardigt u meer dan één methode met dezelfde naam, maar met een andere signatuur. Wanneer u een methode overschrijft (overriding), maakt u een methode in een afgeleide klasse die dezelfde naam en dezelfde signatuur heeft als een methode in de basisklasse.

DE METHODE IN DE BASISKLASSE VERBERGEN

In het vorige programma wordt de methode in de basisklasse door de methode Speak() in de klasse Dog verborgen. Dit is precies de bedoeling, maar kan tot onverwachte resultaten leiden. Als Mammal een methode heeft waarop overloading is toegepast, bijvoorbeeld Move(), en Dog overschrijft die methode, verbergt de methode Dog alle methoden van Mammal met die naam.

Als Mammal overloading op Move() toepast, zodat er drie methoden met die naam ontstaan – één die geen parameters accepteert, één die een integer accepteert en één die een integer en een instructie accepteert – en Dog vervangt alleen de methode Move() die geen parameters accepteert, zal het niet eenvoudig zijn met behulp van een Dog-object toegang tot de andere twee methoden te krijgen.

DE BASISMETHODE AANROEPEN

Als u de basismethode hebt overschreven, kunt u deze nog steeds aanroepen door de naam van de methode volledig aan te duiden. Dit doet u door de basisnaam te schrijven, gevolgd door twee dubbele punten en de methodenaam. In programma 22.3 ziet u hoe dit dient te gebeuren.

```
Mammal::Move()
```

Programma 22.3 De basismethode aanroepen

```
1:    //Programma 22.3: Basismethode aanroepen vanaf
      een overschreven methode.
2:
3:    #include <iostream.h>
4:
5:    class Mammal
6:    {
7:    public:
8:        void Move() const
9:        { cout << "Mammal move one step\n"; }
```

```
10:        void Move(int distance) const
11:        {
12:            cout << "Mammal move ";
13:            cout << distance << " steps.\n";
14:        }
15:  protected:
16:        int itsAge;
17:        int itsWeight;
18:  };
19:
20:  class Dog : public Mammal
21:  {
22:  public:
23:        void Move()const;
24:  };
25:
26:  void Dog::Move() const
27:  {
28:        cout << "In dog move...\n";
29:        Mammal::Move(3);
30:  }
31:
32:  int main()
33:  {
34:        Mammal bigAnimal;
35:        Dog fido;
36:        bigAnimal.Move(2);
37:        fido.Mammal::Move(6);
38:        return 0;
39:  }
```

Resultaat
```
Mammal move 2    _steps
Mammal move 6    _steps
```

Op regel 34 wordt een Mammal, bigAnimal, gecreëerd, en op regel 35 wordt een Dog, fido, gecreëerd. Op regel 36 wordt de methode Move() van Mammal aangeroepen die een int accepteert.

De programmeur wilde Move(int) voor het object Dog aanroepen maar had een probleem. Dog overschrijft de methode Move(), maar past daarop geen overloading toe en voorziet niet in een versie die een int accepteert. Dit probleem wordt opgelost door een expliciete aanroep van de methode van de basisklasse Move(int) op regel 37.

In deze les hebt u geleerd hoe u de constructor in basisobjecten aanroept en hoe u implementatie in afgeleide objecten overschrijft.

POLYMORFISME

In deze les leert u basisklassen met virtuele methoden polymorf benutten.

VIRTUELE METHODEN

In de vorige les, 'Kwesties bij overerving', hebt u iets over overerving geleerd en gezien hoe afgeleide klassen een hiërarchie van overerving kunnen creëren. U hebt ook gezien dat methoden in de basisklasse in de afgeleide klasse kunnen worden overschreven.

Er werd de nadruk op gelegd dat een Dog-object een Mammal is. Tot nu toe betekende dat slechts dat het Dog-object de kenmerken (gegevens) en mogelijkheden (methoden) van de basisklasse had geërfd. In C++ gaat de relatie *is een* echter nog een stapje verder.

Het polyformisme van C is in C++ verder uitgebreid, zodat pointers die naar basisklassen wijzen aan objecten van afgeleide klassen kunnen worden toegekend. Daarom kunt u het volgende schrijven:

```
Mammal* pMammal = new Dog;
```

Hierdoor wordt er een nieuw Dog-object in de heap gemaakt. Er wordt een pointer afgeleverd die naar dat object wijst, die weer wordt toegekend als een pointer die naar Mammal wijst. Dit is prima, want een Dog is een Mammal.

Daarna kunt u deze pointer gebruiken om een willekeurige methode van Mammal aan te roepen. U wilt dat de methoden die in Dog zijn overschreven de juiste functie aanroepen. Dat kan met virtuele lidfuncties. Programma 23.1 verduidelijkt hoe dit werkt en wat er met niet-virtuele methoden gebeurt.

Objectadressen toekennen De mogelijkheid het adres
van een object van een afgeleide klasse toe te kennen
aan een pointer die naar een basisklasse wijst is de es-
sentie van polymorfisme. U kunt bijvoorbeeld veel
verschillende typen vensters maken – zoals dialoogvensters, vensters met schuifbalk en vervolgkeuzelijs-
ten – en deze alle de virtuele methode draw() geven.
Door een pointer te maken die naar een venster wijst,
en dialoogvensters en andere afgeleide typen aan die
pointer toe te kennen, kunt u draw() aanroepen zonder te hoeven letten op het werkelijke runtime-type
van het object waarnaar wordt gewezen. De juiste
draw()-functie wordt aangeroepen.

Programma 23.1 Virtuele methoden toepassen

```
1:    //Programma 23.1: Virtuele methoden toepassen
2:
3:    #include <iostream.h>
4:
5:    class Mammal
6:    {
7:    public:
8:        Mammal():itsAge(1)
9:        {
10:            cout << ""Mammal constructor...\n"";
11:        }
12:        virtual ~Mammal()
13:        {
14:            cout << ""Mammal destructor...\n"";
15:        }
16:        void Move() const
17:        {
18:            cout << ""Mammal move one step\n"";
19:        }
20:        virtual void Speak() const
21:        {
22:            cout << ""Mammal speak!\n"";
23:        }
24:    protected:
25:        int itsAge;
```

```
26:
27:   };
28:
29:   class Dog : public Mammal
30:   {
31:   public:
32:       Dog()
33:       {
34:            cout << ""Dog constructor...\n"";
35:       }
36:       ~Dog()
37:       {
38:            cout << ""Dog destructor...\n"";
39:       }
40:       void WagTail() const
41:       {
42:            cout << ""Wagging Tail...\n"";
43:       }
44:       void Speak()const
45:       {
46:            cout << ""Woof!\n"";
47:       }
48:       void Move()const
49:       {
50:            cout << ""Dog moves 5 steps...\n"";
51:       }
52:   };
53:
54:   int main()
55:   {
56:
57:       Mammal *pDog = new Dog;
58:       pDog->Move();
59:       pDog->Speak();
60:
61:       return 0;
62:   }
```

Resultaat

```
Mammal constructor...
Dog Constructor...
Mammal move one step
Woof!
```

Op regel 20 wordt Mammal voorzien van een virtuele methode: Speak(). De ontwerper van deze klasse geeft daarmee aan dat hij of zij verwacht dat de klasse uiteindelijk het basistype voor een andere klasse zal worden. Deze functie zal waarschijnlijk in de afgeleide klasse worden overschreven.

Op regel 57 is de pointer pDog gemaakt die naar Mammal wijst en waaraan het adres van een nieuw Dog-object is toegekend. Omdat een Dog een Mammal is, is dit een legale toekenning. De pointer wordt vervolgens gebruikt om de functie Move() aan te roepen. Omdat de compiler pDog alleen als Mammal kent, kijkt de compiler naar het Mammal-object om de methode Move() op te sporen.

Op regel 59 roept de pointer daarna de methode Speak() aan. Omdat Speak() virtueel is, wordt de methode Speak() aangeroepen die in Dog is overschreven.

Het is bijna tovenarij. Voorzover de aanroepende functie weet, heeft deze een pointer voor Mammal, maar hier wordt een methode van Dog aangeroepen. Als u een array met pointers zou hebben die naar Mammal wijzen en elk afzonderlijk naar een subklasse van Mammal wezen, zou u deze stuk voor stuk kunnen aanroepen, waarbij de juiste functie zou worden aangeroepen.

Hoe virtuele lidfuncties werken

Wanneer een afgeleid object, zoals een Dog-object, wordt gemaakt, wordt eerst de constructor voor de basisklasse aangeroepen en wordt vervolgens de constructor voor de afgeleide klasse aangeroepen. In figuur 23.1 wordt weergegeven hoe het Dog-object eruit ziet nadat het is gemaakt. Merk op dat het gedeelte Mammal en het gedeelte Dog van het object opeenvolgend in het geheugen staan.

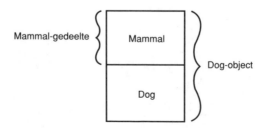

Figuur 23.1 Het Dog-object nadat het is gemaakt

Wanneer er een virtuele functie in een object is gemaakt, moet het object die functie kunnen traceren. Veel compilers bouwen een virtuele functietabel, die een *v-tabel* wordt genoemd. Voor elk type wordt er één van deze tabellen bijgehouden, en elk object van dat type beschikt over een virtuele-tabelpointer (een *vptr* of *v-pointer*, die naar de tabel wijst.

Hoewel de implementatie kan verschillen, moeten alle compilers uiteindelijk hetzelfde bereiken. Deze beschrijving zit er dus waarschijnlijk niet ver naast.

Elke *vptr* van een object wijst naar de v-tabel die, op zijn beurt, een pointer heeft die naar elk van de virtuele lidfuncties wijst. Wanneer het Mammal-gedeelte van de Dog wordt gemaakt, krijgt de vptr een zodanige beginwaarde dat deze naar het juiste gedeelte van de v-tabel wijst. Zie figuur 23.2.

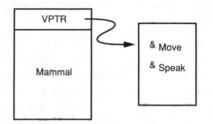

Figuur 23.2 De v-tabel van een Mammal

Wanneer de Dog-constructor wordt aangeroepen en het Dog-gedeelte van dit object is toegevoegd, wordt de vptr aangepast, zodat deze naar de (eventuele) virtuele functie-overschrijvingen in het Dog-object wijst. Zie figuur 23.3.

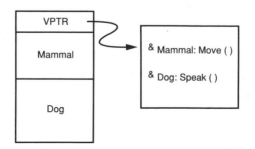

Figuur 23.3 De v-tabel van een Dog

Wanneer een pointer naar een Mammal wordt benut, blijft de vptr, afhankelijk van het echte type van het object, naar de juiste functie wijzen. Wanneer Speak() wordt aangeroepen, wordt daarom de juiste functie aangeroepen.

U KUNT DAAR HIERVANDAAN NIET KOMEN

Als het Dog-object een methode heeft, WagTail(), die zich niet in Mammal bevond, kunt u de pointer die naar Mammal wijst niet benutten om toegang tot die methode te krijgen (tenzij u deze omvormt in een pointer die naar Dog wijst). Omdat WagTail() geen virtuele functie is en omdat WagTail() geen Mammal-object is, kunt u daar niet komen zonder een Dog-object of een Dog-pointer.

Hoewel u de Mammal-pointer in een Dog-pointer kunt omvormen, zijn er gewoonlijk veel betere en veiliger methoden om de methode WagTail() aan te roepen. We zullen deze later in dit boek tegenkomen.

> **-TIP-** **Virtuele functies toepassen** Toveren met virtuele functies werkt alleen bij pointers en referenties. Als een object als waarde wordt doorgegeven, kunnen de virtuele lidfuncties niet worden aangeroepen.

VIRTUELE DESTRUCTORS

Het is toegestaan en gebruikelijk een pointer aan een afgeleid object door te geven wanneer er een pointer naar een basisobject wordt verwacht. Wat gebeurt er wanneer die pointer naar een afgeleid object wordt gewist? Als de destructor virtueel is, wat deze behoort te zijn, vindt de juiste gebeurtenis plaats: de destructor van afgeleide klasse wordt aangeroepen. Omdat de destructor van de afgeleide klasse automatisch de destructor van de basisklasse aanroept, wordt het gehele object dan op de juiste wijze vernietigd.

De vuistregel is hier: als er een functie in uw klasse virtueel is, behoort de destructor dat ook te zijn.

NADELEN VAN VIRTUELE METHODEN

Omdat objecten met virtuele methoden een v-tabel moeten bijhouden, zorgen virtuele methoden voor enige *overhead*. Als u een zeer kleine klasse hebt, en u niet verwacht dat er andere klassen van zullen worden afgeleid, is er weinig reden voor virtuele methoden.

Wanneer u een methode als virtueel declareert, hebt u het prijs-kaartje dat aan v-tabel zit al bijna betaald (hoewel elke vermelding een klein beetje extra geheugen vraagt). Op dat punt gekomen kiest u voor een virtuele destructor. U kunt er bijna wel van uit-gaan dat alle andere methoden ook virtueel zijn. Bestudeer even-tuele niet-virtuele methoden en zorg ervoor dat u weet waarom ze niet virtueel zijn.

In deze les hebt u geleerd hoe u met virtuele methoden voor poly-morfisme kunt zorgen.

GEAVANCEERD POLYMORFISME

In deze les leert u over abstracte datatypen en zuivere virtuele functies.

ABSTRACTE DATATYPEN

Vaak zult u een hiërarchie van klassen construeren. U maakt bijvoorbeeld de klasse Shape en leidt daar Rectangle en Circle van af. Van Rectangle zou u Square kunnen afleiden, omdat een vierkant een speciaal soort rechthoek is.

Elke afgeleide klasse overschrijft de methode Draw(), de methode GetArea(), enzovoort. Programma 24.1 is een voorbeeld van een uitgeklede toepassing van de klasse Shape, en de daarvan afgeleide klassen Circle en Rectangle.

Programma 24.1 Shape-klassen

```
1:   //Programma 24.1: Shape-klassen
2:
3:   #include <iostream.h>
4:
5:
6:
7:   class Shape
8:   {
9:   public:
10:      Shape(){}
11:      virtual ~Shape(){}
12:      virtual long GetArea() const { return -1; }
13:      virtual long GetPerim() const { return -1; }
14:      virtual void Draw() const {}
15:   private:
16:   };
17:
18:   class Circle : public Shape
```

Programma 24.1 Vervolg

```
19:  {
20:  public:
21:      Circle(int radius):itsRadius(radius){}
22:      ~Circle(){}
23:      long GetArea() const
24:          { return 3 * itsRadius * itsRadius; }
25:      long GetPerim() const { return 9 * itsRadius; }
26:      void Draw() const;
27:  private:
28:      int itsRadius;
29:      int itsCircumference;
30:  };
31:
32:  void Circle::Draw() const
33:  {
34:      cout << "Circle drawing routine here!\n";
35:  }
36:
37:
38:  class Rectangle : public Shape
39:  {
40:  public:
41:      Rectangle(int len, int width):
42:          itsLength(len), itsWidth(width){}
43:      virtual ~Rectangle(){}
44:      virtual long GetArea() const
45:          { return itsLength * itsWidth; }
46:      virtual long GetPerim() const
         {return 2*itsLength + 2*itsWidth; }
47:      virtual int GetLength() const
48:          { return itsLength; }
49:      virtual int GetWidth() const { return itsWidth; }
50:      virtual void Draw() const;
51:  private:
52:      int itsWidth;
53:      int itsLength;
54:  };
55:
56:  void Rectangle::Draw() const
57:  {
58:      for (int i = 0; i<itsLength; i++)
```

```
59:        {
60:            for (int j = 0; j<itsWidth; j++)
61:                cout << "x ";
62:
63:        cout << "\n";
64:        }
65: }
66:
67: class Square : public Rectangle
68: {
69: public:
70:        Square(int len);
71:        Square(int len, int width);
72:        ~Square(){}
73:        long GetPerim() const {return 4 * GetLength();}
74: };
75:
76: Square::Square(int len):
77:        Rectangle(len,len)
78: {}
79:
80: Square::Square(int len, int width):
81:        Rectangle(len,width)
82:
83: {
84:        if (GetLength() != GetWidth())
85:        {
86:            cout << "Error, not a square... ";
87:            cout << " a Rectangle??\n";
88:        }
89: }
90:
91: int main()
92: {
93:        int choice;
94:        bool fQuit = false;
95:        Shape * sp;
96:
97:        while (1)
98:        {
99:            cout << "(1)Circle (2)Rectangle ";
                cout << " (3)Square (0)Quit: ";
100:           cin >> choice;
101:
```

Programma 24.1 Vervolg

```
102:          switch (choice)
103:          {
104:              case 1: sp = new Circle(5);
105:              break;
106:              case 2: sp = new Rectangle(4,6);
107:              break;
108:              case 3: sp = new Square(5);
109:              break;
110:              default: fQuit = true;
111:              break;
112:          }
113:          if (fQuit)
114:              break;
115:
116:          sp->Draw();
117:          cout << "\n";
118:      }
119:      return 0;
120: }
```

Resultaat
```
(1)Circle (2)Rectangle (3)Square (0)Quit: 2
X X X X X X
X X X X X X
X X X X X X
X X X X X X
(1)Circle (2)Rectangle (3)Square (0)Quit:3
X X X X X
X X X X X
X X X X X
X X X X X
X X X X X
(1)Circle (2)Rectangle (3)Square (0)Quit:0
```

Op de regels 7 t/m 16 wordt de klasse Shape gedeclareerd. De methoden GetArea() en GetPerim() leveren een foutwaarde af, en Draw() voert geen actie uit. Wat wil het tekenen van een vorm per slot van rekening zeggen? Alleen vormtypen (cirkels, rechthoeken, enzovoort) kunnen worden getekend. Een vorm als abstractie kan niet worden getekend.

Circle is afgeleid van Shape en overschrijft de drie virtuele methoden. Merk op dat het niet nodig is het woord virtual toe te voegen, aangezien dat deel uitmaakt van de overerving. Het kan echter ook geen kwaad het wel te doen, zoals te zien is in de klasse Rectangle op de regels 43 t/m 50. Het is een goed idee de term virtual als geheugensteuntje, als een vorm van commentaar, toe te voegen.

Square is afgeleid van Rectangle, en overschrijft eveneens de methode GetPerim( ), waarbij de rest van de methoden die in Rectangle zijn gedefinieerd wordt geërfd.

Het baart echter zorgen dat een client kan proberen een Shape-object te realiseren, en het is soms gewenst dat onmogelijk te maken. De klasse Shape bestaat alleen om een interface te bieden voor de klassen die ervan zijn afgeleid. De klasse Shape is daarom een abstract datatype (ADT). Een abstract datatype vertegenwoordigt een concept (zoals een vorm), in plaats van een object (zoals een cirkel). In C++ is een ADT altijd de basisklasse voor andere klassen. Het is niet toegestaan een instantie van een ADT te maken.

ZUIVERE VIRTUELE FUNCTIES

C++ ondersteunt de mogelijkheid abstracte datatypen met zuivere virtuele functies te maken. Een virtuele functie wordt zuiver gemaakt door deze met 0 te initialiseren, zoals in:

```
virtual void Draw() = 0;
```

Elke klasse met één of meer virtuele functies is een ADT, en het is niet toegestaan een object van een ADT-klasse te realiseren. Een poging dit toch te doen leidt tot een compileerfout. Door een zuivere virtuele functie aan een klasse toe te voegen geeft u twee signalen aan clients van de klasse:

- Maak geen object van deze klasse; maak er een afleiding van.

- Zorg ervoor dat de zuivere virtuele functie wordt overschreven.

Elke klasse die van een ADT wordt afgeleid erft de zuivere virtuele functie in de zuivere vorm en moet dus elke zuivere virtuele functie overschrijven om objecten te kunnen realiseren. Als Rectangle dus van Shape erft, en Shape drie zuivere virtuele functies heeft, moet Rectangle die alledrie overschrijven of ook een ADT worden. Programma 24.1 is herschreven als programma 24.2, met de klasse Shape als abstract datatype. Om ruimte te besparen is de rest van programma 24.1 hier niet gereproduceerd. Vervang de declaratie van Shape in programma 24.1 (regels 7 t/m 16) door de declaratie van Shape in programma 24.2 en voer het programma opnieuw uit.

Programma 24.2 Abstracte datatypen

```
1:   class Shape
2:   {
3:   public:
4:       Shape(){}
5:       virtual ~Shape(){}
6:       virtual long GetArea() const = 0;
7:       virtual long GetPerim() const = 0;
8:       virtual void Draw() const = 0;
9:   private:
10:  };
```

Resultaat

```
 (1)Circle (2)Rectangle (3)Square (0)Quit:2
X X X X X X
X X X X X X
X X X X X X
X X X X X X
 (1)Circle (2)Rectangle (3)Square (0)Quit:3
X X X X X
X X X X X
X X X X X
X X X X X
X X X X X
 (1)Circle (2)Rectangle (3)Square (0)Quit:0
```

Zoals u ziet is de werking van het programma in het geheel niet beïnvloed. Het enige verschil is dat het nu onmogelijk zou zijn om een object van de klasse Shape te maken.

ZUIVERE VIRTUELE FUNCTIES IMPLEMENTEREN

Doorgaans worden de zuivere virtuele functies in een abstracte basisklasse nooit geïmplementeerd. Omdat er nooit objecten van dat type worden gemaakt, is er geen reden om in implementatie te voorzien. De ADT fungeert zuiver en alleen als de definitie van een interface naar objecten die ervan zijn afgeleid.

> **TIP**
>
> **Abstracte datatypen** U declareert een klasse als abstract datatype door één of meer zuivere virtuele functies in de declaratie van de klasse op te nemen. Declareer een zuivere virtuele functie door = 0 na de functiedeclaratie te schrijven. Voorbeeld:
>
> ```
> class Shape
> {
> virtual void Draw() = 0;  // zuiver virtueel
> };
> ```

Het is echter mogelijk in een implementatie voor een zuivere virtuele functie te voorzien. De functie kan vervolgens worden aangeroepen door objecten die van de ADT zijn afgeleid; misschien om gemeenschappelijke functionaliteit aan alle overschreven functies te bieden.

COMPLEXE HIËRARCHIEËN VAN ABSTRACTIES

Het komt voor dat u ADT's van andere ADT's afleidt. Misschien wilt u enkele afgeleide zuivere virtuele functies onzuiver maken, terwijl u andere zuiver laat.

Als u de klasse Animal creëert, kunt u van Eat(), Sleep(), Move() en Reproduce() zuivere virtuele functies maken. Misschien dat u van Animal Mammal en Fish afleidt.

Na bestudering besluit u dat elke Mammal zich op dezelfde manier voortplant. U maakt Mammal::Reproduce() dus onzuiver, maar laat Eat(), Sleep() en Move() als zuivere virtuele functies bestaan.

Van Mammal leidt u Dog af. Dog moet de drie resterende zuivere virtuele functies overschrijven en implementeren, zodat u objecten van het type Dog kunt maken.

Wat u als ontwerper van klassen hebt aangegeven, is dat er geen Animals of Mammals kunnen worden gerealiseerd, maar dat alle Mammals de aangegeven methode Reproduce() kunnen erven zonder deze te overschrijven.

WELKE TYPEN ZIJN ABSTRACT?

In het ene programma is de klasse Animal abstract; in een ander niet. Wat bepaalt of een klasse abstract wordt gemaakt?

Het antwoord op deze vraag wordt niet door een intrinsieke factor van de werkelijkheid bepaald, maar door wat in uw programma zinvol is. Als u een programma schrijft dat een boerderij of een dierentuin voorstelt, kunt u Animal een abstract datatype maken maar Dog een klasse waarvan u objecten kunt realiseren.

Als u daarentegen een animatie van een kennel wilt maken, kunt u Dog een abstract datattype laten blijven, en alleen allerlei hondentypen realiseren: retrievers, terriers, enzovoort. Het niveau van abstractie is een functie van de mate waarin u de typen wilt onderscheiden.

In deze les hebt u geleerd wat abstracte datatypen zijn en hoe u deze maakt.

GELINKTE LIJSTEN

In deze les richten we ons op één type structuur, een gelinkte lijst, waarmee verzamelingen van objecten kunnen worden gemaakt.

GELINKTE LIJSTEN EN ANDERE STRUCTUREN

Voor geavanceerde programmeren zijn gecompliceerde structuren vereist, die vaak *verzamelingen* (collections) worden genoemd en die voor de opslag en manipulatie van objecten worden gebruikt.

Arrays lijken op Tupperware. Het zijn handige opbergdozen, maar wel met een vaste maat. Als u een te groot doosje kiest, verspilt u opslagruimte. Als u een te klein doosje kiest, loopt het over en ontstaat er een grote bende.

Dit probleem kan met een gelinkte lijst worden verholpen. Een *gelinkte lijst* is een datastructuur of een verzameling die uit containers bestaat die als het ware 'aan elkaar klikken'. Het idee is dat u een klasse schrijft die één object van uw gegevens bevat – zoals één CAT of één Rectangle – en die ook naar de volgende container in de lijst wijst. U maakt een container voor elk object dat u wilt opslaan, en schakelt deze naar behoefte aaneen.

De containers worden *nodes* genoemd. De eerste node in de lijst heet de *head*, de laatste heet de *tail*.

Lijsten zijn er in drie fundamentele vormen. Van heel eenvoudig tot heel ingewikkeld. Er zijn:

> Enkelgelinkte lijsten
>
> Dubbelgelinkte lijsten
>
> Boomstructuren

In een *enkelgelinkte lijst* wijst elke node naar de volgende, maar niet terug. Om een bepaalde node te vinden, begint u bovenaan en gaat u van node naar node, zoals bij schatzoeken. ('De volgende node is onder de driezitter.') In een *dubbelgelinkte lijst* kunt u vooruit en achteruit door de nodes bewegen. Een *boomstructuur* (tree) is een ingewikkelde structuur die uit nodes in opgebouwd. Elke node kan in twee of drie richtingen wijzen. In figuur 25.1 zijn de drie fundamentele structuren schematisch weergegeven.

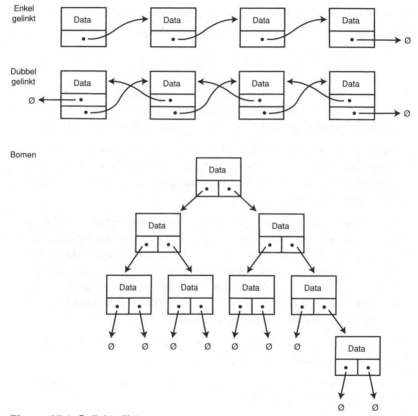

Figuur 25.1 Gelinkte lijsten

Computerwetenschappers hebben zelfs nog ingewikkelder en slimmere datastructuren ontworpen, die bijna allemaal op onderling verbonden nodes berusten.

EEN CASE-STUDY

In deze les zullen we een gelinkte lijst uitgebreid bestuderen, om na te gaan hoe u ingewikkelde structuren opbouwt en hoe u met name overerving, polymorfisme en inkapseling toepast voor het beheer van grote projecten.

DELEGEREN VAN VERANTWOORDELIJKHEID

Een fundamentele vooronderstelling bij objectgeoriënteerd programmeren is dat elk object één ding heel goed doet en alles wat niet zijn kerntaak is aan andere objecten uitbesteedt.

Een automobiel is een volmaakt model voor deze gedachte: de taak van de motor is de productie van kracht. De distributie van die kracht is niet de taak van de motor; daarvoor zorgt de schakelinrichting. Sturen is niet de taak van de motor of de schakelinrichting; die taak is uitbesteed aan de wielen.

Een goed ontworpen machine heeft een heleboel kleine, gemakkelijk te begrijpen onderdelen, die elk hun eigen taak verrichten en samenwerken voor het algemeen welzijn van het geheel. Voor een goed ontworpen programma geldt min of meer hetzelfde: elke klasse houdt het bij zijn eigen breiwerkje, maar samen maken ze een gigantische beddensprei.

DE ONDERDELEN

De gelinkte lijst bestaat uit nodes. De klasse van de nodes zelf is abstract. We gebruiken drie subtypen om het werk te voltooien. Er is een head-node, die het begin van de lijst beheert, een tail-node die het einde van de lijst beheert, en er zijn nul of meer interne nodes. De interne nodes houden de gegevens bij die in de lijst wordt bewaard.

Merk op dat de gegevens en de lijst van elkaar zijn gescheiden. U kunt, theoretisch, elk type gegevens in een lijst opslaan. Niet de gegevens zelf zijn gekoppeld, maar de nodes die de gegevens *bevatten*.

Het stuurprogramma heeft geen weet van de nodes; het werkt met de lijst. De lijst doet echter zelf niet veel en delegeert naar de nodes.

In programma 25.1 ziet u de programmacode, die we diepgaand zullen bestuderen.

Programma 25.1   Een gelinkte lijst

```
 0:  // ************************************************
 1:  //    FILE:        Programma 25.1
 2:  //
 3:  //    PURPOSE:     Voorbeeld van een gelinkte lijst
 4:  //    NOTES:
 5:  //
 6:  //
 7:  //                 All Rights Reserved
 8:  //
 9:  // Demonstreert een objectgerichte benadering van
10:  // gelinkte lijsten. De lijst delegeert aan de node.
11:  // De node is een abstract datatype. Er worden drie
12:  // typen nodes gebruikt: head-nodes, tail-nodes en
13:  // interne nodes. Alleen de interne nodes bevatten data.
14:  //
15:  // De klasse Data fungeert hier als een object dat
16:  // in de gelinkte lijst wordt bewaard.
17:  //
18:  // ************************************************
19:
20:
21:  #include <iostream.h>
22:
23:  enum { kIsSmaller, kIsLarger, kIsSame};
24:
25:  // Klasse Data om in de gelinkte lijst te plaatsen
26:  // Elke klasse in deze gelinkte lijst moet twee methoden
         ondersteunen:
27:  // Show (toont de waarde) en Compare
28:  class Data
29:  {
30:  public:
31:      Data(int val):myValue(val){}
32:      ~Data(){}
33:      int Compare(const Data &) const;
34:      void Show() const { cout << myValue << endl; }
35:  private:
36:      int myValue;
37:  };
```

```
38:
39:  // Met Compare wordt bepaald waar in de lijst
40:  // een bepaald object thuishoort.
41:  int Data::Compare(const Data & theOtherData) const
42:  {
43:      if (myValue < theOtherData.myValue)
44:          return kIsSmaller;
45:      if (myValue > theOtherData.myValue)
46:          return kIsLarger;
47:      else
48:          return kIsSame;
49:  }
50:
51:  // doorsturen declaraties
52:  class Node;
53:  class HeadNode;
54:  class TailNode;
55:  class InternalNode;
56:
57:  // ADT die het node-object in de lijst voorstelt
58:  // Elke afgeleide klasse moet Insert en Show overschrijven
59:  class Node
60:  {
61:  public:
62:      Node(){}
63:      virtual ~Node(){}
64:      virtual Node * Insert(Data * theData)=0;
65:      virtual void Show() const = 0;
66:  private:
67:  };
68:
69:  // Dit is de node die het feitelijke object bevat
70:  // In dit geval is het object van het type Data
71:  // Hoe dit algemener kan worden gemaakt zien we
72:  // bij de bespreking van templates
73:  class InternalNode: public Node
74:  {
75:  public:
76:      InternalNode(Data * theData, Node * next);
77:      virtual ~InternalNode()
77a:          { delete myNext; delete myData; }
78:      virtual Node * Insert(Data * theData);
79:      virtual void Show() const
```

Programma 25.1 Vervolg

```
79a:           { myData->Show(); myNext->Show(); }  80:
81: private:
82:           Data * myData;  // de data zelf
83:           Node * myNext; 84:    };
84:
85:
86: // De constructor initialiseert alleen
87: InternalNode::InternalNode
87a:     (Data * theData, Node * next):
88: myData(theData),myNext(next)
89: {
90: }
91:
92: // De kern van de lijst
93: // Wanneer u een nieuw object in de lijst plaatst
94: // wordt het aan de node doorgegeven die uitzoekt
95: // waar het thuishoort en het invoegt in de lijst
96: Node * InternalNode::Insert(Data * theData)
97: {
98:
99:      // is de nieuwe groter of kleiner dan ik?
100:     int result = myData->Compare(*theData);
101:
102:
103:     switch(result)
104:        {
105: // als hij hetzelfde is komt hij als regel voor mij
106:     case kIsSame:      // door naar volgende regel
107:     case kIsLarger:    // nieuwe data komt voor mij
108:         {
109:             InternalNode * dataNode =
109a:             new InternalNode(theData, this);
110:             return dataNode;
111:         }
112:
113:         // groter dan ik, daarom doorgeven aan de
114:         // volgende node en door HEM laten afhandelen.
115:     case kIsSmaller:
116:             myNext = myNext->Insert(theData);
117:             return this;
118:        }
119:     return this;  // MSC tevreden stellen
120: }
```

```
121:              *
122:
123: // Tail-node is alleen een identificatieteken
124:
125: class TailNode : public Node
126: {
127: public:
128:     TailNode(){}
129:     virtual ~TailNode(){}
130:     virtual Node * Insert(Data * theData);
131:     virtual void Show() const { }
132:
133: private:
134:
135: };
136:
137: // moet voor mij worden ingevoegd
138: // want ik ben de tail en er komt NIETS na mij
139: Node * TailNode::Insert(Data * theData)
140: {
141:     InternalNode * dataNode =
141a:        new InternalNode(theData, this);
142:     return dataNode;
143: }
144:
145: // Head-node bevat geen data, maar wijst slechts
146: // naar het begin van de lijst
147: class HeadNode : public Node
148: {
149: public:
150:     HeadNode();
151:     virtual ~HeadNode() { delete myNext; }
152:     virtual Node * Insert(Data * theData);
153:     virtual void Show() const { myNext->Show(); }
154: private:
155:     Node * myNext;
156: };
157:
158: // Zodra de head is gemaakt
159: // maakt deze de tail
160: HeadNode::HeadNode()
161: {
162:     myNext = new TailNode;
163: }
```

Programma 25.1 Vervolg

```
164:
165: // Er komt niet voor de head; geef de
166: // data dus door aan de volgende node
167: Node * HeadNode::Insert(Data * theData)
168: {
169:     myNext = myNext->Insert(theData);
170:     return this;
171: }
172:
173: // Ik strijk met de eer en doe geen spatje werk
174: class LinkedList
175: {
176: public:
177:     LinkedList();
178:     ~LinkedList() { delete myHead; }
179:     void Insert(Data * theData);
180:     void ShowAll() const { myHead->Show(); }
181: private:
182:     HeadNode * myHead;
183: };
184:
185: // In het begin creëer ik de head-node
186: // Deze creëert de tail-node
187: // Een lege lijst wijst dus naar de head, die
188: // naar de tail wijst, met niets daartussen
189: LinkedList::LinkedList()
190: {
191:     myHead = new HeadNode;
192: }
193:
194: // Delegeren, delegeren, delegeren
195: void LinkedList::Insert(Data * pData)
196: {
197:     myHead->Insert(pData);
198: }
199:
200: // testdriver-programma
201: int main()
202: {
203:     Data * pData;
204:     int val;
205:     LinkedList ll;
```

```
206:
207:      // vraag de gebruiker naar enkele waarden
208:      // en plaats ze in de lijst
209:      for (;;)
210:      {
211:          cout << "What value? (0 to stop): ";
212:          cin >> val;
213:          if (!val)
214:              break;
215:          pData = new Data(val);
216:          ll.Insert(pData);
217:      }
218:
219:      // loop door de lijst en toon de data
220:      ll.ShowAll();
221:      return 0;
222: }
```

Resultaat

```
What value? (0 to stop): 5
What value? (0 to stop): 8
What value? (0 to stop): 3
What value? (0 to stop): 9
What value? (0 to stop): 2
What value? (0 to stop): 10
What value? (0 to stop): 0
2
3
5
8
9
10
```

Het eerste punt waarvan u nota dient te nemen is de constante van het type enum, die drie constante waarden geeft: kIsSmaller, kIsLarger en kIsSame. Elk object dat in deze gelinkte lijst wordt bewaard moet de methode Compare() ondersteunen. Deze constanten zijn de result-waarde die door de methode Compare() wordt afgeleverd.

Bij wijze van voorbeeld is de klasse Data op de regels 28 t/m 37 gemaakt, en is de methode Compare() op de regels 39 t/m 49 geïmplementeerd. Een Data-object bevat een waarde en kan zichzelf met andere Data-objecten vergelijken. Ook de methode Show() wordt ondersteund, om de waarde van het Data-object weer te geven.

De gemakkelijkste manier om de werking van de gelinkte lijst te begrijpen is door een voorbeeld stap-voor-stap te doorlopen. Op regel 201 wordt een *driver*-programma gedeclareerd, op regel 203 wordt een pointer naar een Data-object gedeclareerd en op regel 205 wordt een lokale gelinkte lijst gedefinieerd.

Bij het maken van de gelinkte lijst wordt de constructor op regel 189 aangeroepen. Het enige werk dat in de constructor wordt gedaan is een HeadNode-object toewijzen, en het adres van dat object toekennen aan de pointer die in de gelinkte lijst op regel 182 wordt bewaard.

Deze toewijzing van de HeadNode roept de HeadNode-constructor op regel 160 aan. Hierdoor wordt vervolgens een TailNode toegewezen, waarbij het adres aan de pointer myNext voor HeadNode wordt toegekend. Bij het maken van de TailNode wordt de Tail-Node-constructor aangeroepen die op regel 128 staat. Deze is *inline* en doet niets.

Door eenvoudig een gelinkte lijst in de stack toe te wijzen, wordt er dus de lijst gemaakt, worden er een head-node en een tail-node gemaakt, en wordt hun onderlinge relatie bepaald. Zie figuur 25.2.

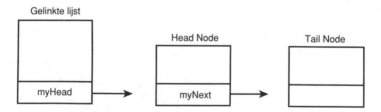

Figuur 25.2 De gelinkte lijst nadat deze is gemaakt

Op regel 209 begint een oneindige lus. De gebruiker wordt gevraagd waarden aan de gelinkte lijst toe te voegen. Hij kan zoveel waarden toevoegen als hij wil. Als de gebruiker klaar is, voegt hij een 0 in. De programmacode op regel 213 beoordeelt de ingevoerde waarde. Als deze 0 is, wordt de lus verlaten.

Als de waarde geen 0 is, wordt er een nieuw Data-object op regel 215 gemaakt, dat op regel 216 in de lijst wordt ingevoegd. Om dit duidelijk te maken kan er worden aangenomen dat de gebruiker de waarde 15 invoert. Hierdoor wordt de methode Insert op regel 195 aangeroepen.

De gelinkte lijst delegeert de verantwoordelijkheid voor invoegen van het object onmiddellijk aan de head-node. Hierdoor wordt de methode Insert op regel 167 aangeroepen. De head-node geeft de verantwoordelijkheid onmiddellijk door aan de node waar myNext op dat moment naar wijst. In dit (eerste) geval wijst myNext naar de tail-node (denk eraan dat de head-node toen die ontstond een link naar een tail-node heeft gemaakt). Daarom wordt de methode Insert op regel 139 aangeroepen.

TailNode::Insert weet dat het object dat is doorgegeven onmiddellijk voor zichzelf moet worden ingevoegd; dat wil zeggen dat het nieuwe object juist voor de tail-node in de lijst komt te staan. Daarom wordt op regel 141 het nieuwe object InternalNode gemaakt, waaraan TailNode::Insert de gegevens en een pointer naar zichzelf doorgeeft. Hierdoor wordt de constructor voor het object InternalNode aangeroepen, die op regel 87 is weergegeven.

De InternalNode-constructor doet niets anders dan een Data-pointer initialiseren met het adres van het Data-object dat eraan is doorgegeven, en de pointer myNext initialiseren met het adres van de node dat eraan is doorgegeven. In dit geval wijst myNext naar de tail-node (denk eraan dat de tail-node zijn eigen this-pointer heeft doorgegeven).

Nu de InternalNode is gemaakt, wordt het adres van die interne node toegewezen aan de pointer dataNode op regel 141. Dat adres wordt op zijn beurt afgeleverd door de methode TailNode::Insert. Hierna keren we terug bij HeadNode::Insert(), waar het adres van InternalNode wordt toegekend aan de pointer myNext van HeadNode (op regel 169). Tenslotte wordt het adres van HeadNode afgeleverd bij de gelinkte lijst, waar het (op regel 197) wordt weggegooid. (Er wordt niets mee gedaan, omdat de gelinkte lijst het adres van HeadNode al kent.)

Wat heeft het voor zin het adres af te leveren als dat niet wordt gebruikt? Insert wordt in de basisklasse Node gedeclareerd. De return-waarde is vereist voor de andere implementaties. Als u de return-waarde van HeadNode::Insert() wijzigt, krijgt u een compileerfout. Het is eenvoudiger gewoon het adres van HeadNode af te leveren, waarna de gelinkte lijst het weggooit.

Wat is er dus gebeurd? De gegevens zijn in de lijst ingevoegd. De lijst heeft de gegevens aan de head-node doorgegeven. Deze heeft de gegevens blindelings doorgegeven aan wat het ook was waar de head-node naar wees. In dit (eerste) geval was dat de tail-node. De tail-node heeft onmiddellijk een nieuwe interne node gemaakt, die is geïnitialiseerd om naar de tail-node te wijzen. De tail-node heeft het adres van de nieuwe node bij de head-node afgeleverd, die zijn my Next-pointer opnieuw heeft toegekend, zodat deze naar de nieuwe node wijst. De gegevens bevinden zich nu in de lijst en op de juiste plaats, zoals in figuur 25.3 schematisch is weergegeven.

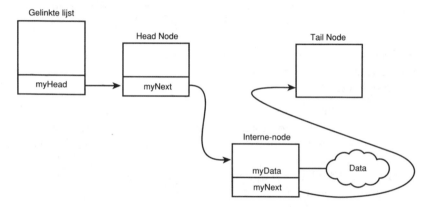

Figuur 25.3 De gelinkte lijst nadat de eerste node is ingevoegd

Nadat de eerste node is ingevoegd, wordt de programmabesturing op regel 211 hervat. Opnieuw wordt de waarde beoordeeld. Stel dat de waarde 3 is ingevoerd. Er wordt dan een nieuw Data-object gemaakt op regel 215, dat op regel 216 in de lijst wordt ingevoegd.

Opnieuw geeft de lijst de gegevens op regel 197 door aan zijn HeadNode. De methode HeadNode::Insert() geeft de waarde op zijn beurt door aan wat het ook is waar myNext naar wijst. Zoals u weet, wijst myNext nu naar de node die het Data-object met de waarde 15 bevat. Hierdoor wordt de methode InternalNode::Insert() op regel 96 aangeroepen.

Op regel 100 gebruikt InternalNode de pointer myData om een Data-object (dat met de waarde 15) te vertellen dat deze de metho-de Compare() moet aanroepen, waarbij het nieuwe Data-object (dat met de waarde 3) wordt doorgegeven. Hierdoor wordt de methode Compare() aangeroepen die op regel 41 is weergegeven.

De twee waarden worden vergeleken. Omdat myValue 15 is en theOtherData.myValue 3 is, is de return-waarde kIsLarger. De uitvoering van het programma springt naar regel 109.

Er wordt een nieuwe InternalNode voor het nieuwe Data-object gemaakt. De nieuwe node wijst naar het huidige object Internal-Node, en het nieuwe adres van InternalNode wordt door de methode InternalNode::Insert() bij de HeadNode afgeleverd. De nieuwe node, waarvan de waarde van het object kleiner is dan de waarde van het object van de huidige node, wordt in de lijst ingevoegd. De lijst ziet er nu uit zoals in figuur 25.4 schematisch is weergegeven.

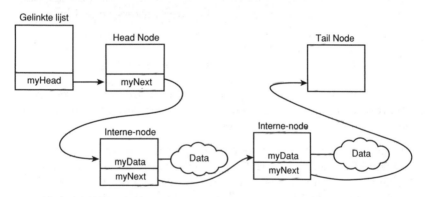

Figuur 25.4   De gelinkte lijst nadat de tweede node is ingevoegd

In de derde aanroep van de lus voegt de gebruiker de waarde 8 toe. Deze waarde is groter dan 3 maar kleiner dan 15, en moet dus tussen de twee bestaande nodes worden ingevoegd. De uitvoering verloopt precies zoals in het voorgaande voorbeeld, maar wanneer de node met de objectwaarde 3 de vergelijking uitvoert, zal deze in plaats van kIsLarger kIsSmaller afleveren (wat betekent dat het object met waarde 3 kleiner is dan het nieuwe object met waarde 8).

Hierdoor springt de methode InternalNode::Insert() naar regel 116. In plaats van een nieuwe node te maken en in te voegen, geeft de InternalNode de nieuwe data alleen door aan de methode Insert van de node waar de myNext-pointer toevallig naar wijst. In het huidige geval wordt InsertNode aangeroepen op de InternalNode waarvan het Data-object de waarde 15 heeft.

De vergelijking wordt opnieuw uitgevoerd en er wordt een nieuwe InternalNode gemaakt. Deze nieuwe InternalNode wijst naar de InternalNode waarvan het Data-object de waarde 15 heeft, en het adres van deze InternalNode wordt doorgegeven aan de InternalNode waarvan het Data-object de waarde 3 heeft, zoals op regel 116 is te zien.

Het nettoresultaat is dat de nieuwe node op de juiste locatie in de lijst wordt ingevoegd.

Als dat mogelijk is, kunt u het invoegen van een aantal nodes stap-voor-stap bekijken met een debug-programma. U kunt zo zien hoe de methoden elkaar aanroepen en hoe de pointers op de juiste wijze worden aangepast.

WAT HEBBEN WE HIERVAN GELEERD?

Er is weinig dat zich met procedureel programmeren kan meten. Bij procedureel programmeren is er een controlerende methode die gegevens onderzoekt en functies aanroept.

Bij een objectgeoriënteerde benadering krijgt elk afzonderlijk object een kleine en goed gedefinieerde verzameling verantwoordelijkheden. De gelinkte lijst is verantwoordelijk voor het in stand houden van de head-node. De head-node geeft de nieuwe gegevens onmiddellijk door aan datgene waar de head-node naar wijst, zonder dat het uitmaakt wat dat is.

De tail-node maakt een nieuwe node en voegt deze in wanneer er gegevens aan wordt doorgegeven. De tail-node weet maar één ding: alles wat er komt, moet vóór mij worden ingevoegd.

Interne nodes zijn iets minder ingewikkeld: ze vragen een bestaand object zich met een nieuw object te vergelijken. Afhankelijk van het resultaat voegen ze het in of geven ze het door.

Merk op dat de InternalNode geen idee heeft hoe de vergelijking moet worden uitgevoerd. Dat wordt aan de objecten zelf overgelaten. Alles wat de InternalNode doet is de objecten vragen zich met elkaar te vergelijken en te reageren op één van drie mogelijke antwoorden. Op grond van een bepaald antwoord wordt er inge-voegd. In het andere geval wordt het antwoord gewoon doorgege-ven, zonder dat de `InternalNode` weet waar het terechtkomt.

Wie heeft er dan de leiding? In een goedontworpen objectgeoriën-teerd programma heeft niemand de leiding. Elk object voert zijn ei-gen taakje uit, en het nettoresultaat is een goedlopende machine.

In deze les hebt u zich op één type structuur leren richten: de ge-linkte lijst. Deze wordt gebruikt om verzamelingen van objecten te maken.

TEMPLATES

In deze les leert u iets over één van de meest opwindende en doeltreffende nieuwe aspecten van ANSI/ISO C++: templates. Met templates kunt u type-safe verzamelingen maken. U kunt ze ook benutten om de gelinkte lijst uit de vorige les te verbeteren.

WAT ZIJN TEMPLATES?

Het enige in het oog springende probleem bij de gelinkte lijst uit de vorige les is dat alleen de specifieke data-objecten kunnen worden afgehandeld waarvoor de lijst is gemaakt. Als u iets anders in de gelinkte lijst wilt plaatsen, lukt dat niet. U kunt bijvoorbeeld geen gelinkte lijst van `Car`-objecten maken, of van `Cats`, of van een ander object dat niet van hetzelfde type is als die in de originele lijst.

Om dit probleem op te lossen, kunt u een basisklasse `List` maken en hiervan de klassen `CarList` en `CatsList` afleiden. Vervolgens kunt u veel van de klasse `LinkedList` knippen en in de nieuwe declaratie van `CatsList` plakken. Als u een week later een lijst van `Car`-objecten wilt maken, moet u een nieuwe klasse maken en opnieuw knippen en plakken.

Overbodig te zeggen dat dit geen oplossing is die tevreden stemt. Na verloop van tijd zal de klasse `List` moeten worden uitgebreid. Controleren of alle wijzigingen in de verwante klassen zijn doorgezet is een nachtmerrie.

Templates bieden een oplossing voor dit probleem.

PARAMETRISCHE TYPEN

Met templates kunt u de compiler leren een universele lijst voor een willekeurig type zaak of voorwerp te maken, in plaats van een reeks lijsten voor een specifiek type ding. Een `PartsList` is een

Instanties Als er een specifiek type op basis van een template wordt gemaakt, worden de afzonderlijke klassen *instanties* van de template genoemd.

lijst met onderdelen. Een `CatList` is een lijst met katten. Het enige punt van verschil is het type ding op de lijst. Bij templates wordt *het type ding op de lijst een parameter in de definitie van de klasse.*

Met templates kunt u een algemene klasse maken, en typen als parameters aan die klasse doorgeven, om zo specifieke instanties te vormen.

DEFINITIE VAN TEMPLATES

U declareert als volgt een parametrisch `List`-object (een template voor een lijst):

```
1:   template <class T> // declareer de template
2:                      // en de parameter
3:   class List         // de parametrische klasse
4:   {
5:       public:
6:           List();
7:       // volledige klassedeclaratie hier
8:   };
```

Het gereserveerde woord `template` wordt aan het begin van elke declaratie en definitie van een template-klasse toegepast. De parameters van de template staan na het woord `template`. Dit zijn de items die bij elke instantie veranderen. In de template voor een lijst in het stukje programmacode hierboven, kan het type object dat in de lijst wordt bewaard bijvoorbeeld worden gewijzigd. Eén instantie kan een lijst van `Integers` bevatten, terwijl een andere een lijst van `Animals` bevat.

In dit voorbeeld wordt het gereserveerde woord `class` gebruikt, gevolgd door de *identifier* `T`. Het gereserveerde woord `class` geeft aan dat deze parameter een type is. De identifier `T` wordt in de rest van de definitie van de template benut om naar het parametrische type te verwijzen. Bij één instantie van deze klasse wordt er `int` voor `T` ingevuld, bij een andere `Cat`.

Om de instanties int en Cat van de klasse parametrische lijst te declareren, schrijft u het volgende:

```
List<int> anIntList;
List<Cat> aCatList;
```

Het object anIntList is van het type 'lijst van integers'. Het object aCatList is van het type ListOfCats. U kunt nu het type List<int> overal toepassen waar u normaal een type zou gebruiken: als de return-waarde van een functie, als een parameter voor een functie, enzovoort.

In programma 26.1 wordt het object List parametrisch. Een uitstekende methode voor het opbouwen van templates is de volgende. Zorg er eerst voor dat een object met één type werkt, zoals in de vorige les. Pas vervolgens parameters toe, zodat het object voor het afhandelen van elk type geschikt wordt.

Programma 26.1 Een voorbeeld van parametrische lijsten

```
 1:   // ************************************************
 2:   //   FILE:        Programma 26.1:
 3:   //
 4:   //   PURPOSE:     Demonstreert parametrische lijsten
 5:   //   NOTES:
 6:   //
 7:   //.
 8:   //              All Rights Reserved
 9:   //
10:   // Objectgerichte benadering van parametrische
11:   // gelinkte lijsten. De lijst delegeert aan de node.
12:   // De node is een abstract Object-type. Er worden drie
13:   // typen nodes gebruikt: head-nodes, tail-nodes en
14:   // interne nodes. Alleen de interne nodes bevatten
15:   // Object.
16:   // Object fungeert als een object dat in de
17:   // gelinkte lijst word bewaard.
18:   //
19:   // ************************************************
20:
21:
22:   #include <iostream.h>
23:
24:     enum { kIsSmaller, kIsLarger, kIsSame};
```

Programma 26.1 Vervolg

```
25:
26:    // Klasse Object om in de gelinkte lijst te plaatsen.
27:    // Elke klasse in deze gelinkte lijst moet
28:    // Show() and Compare() ondersteunen.
29:    class Data
30:    {
31:    public:
32:      Data(int val):myValue(val){}
33:      ~Data()
34:      {
35:         cout << "Deleting Data object with value: ";
36:         cout << myValue << "\n";
37:      }
38:      int Compare(const Data &) const;
39:      void Show() const { cout << myValue << endl; }
40:    private:
41:      int myValue;
42:    };
43:
44:    // Met Compare wordt bepaald waar in de lijst
45:    // een bepaald object thuishoort.
46:    int Data::Compare(const Data & theOtherObject) const
47:    {
48:      if (myValue < theOtherObject.myValue)
49:         return kIsSmaller;
50:      if (myValue > theOtherObject.myValue)
51:         return kIsLarger;
52:      else
53:         return kIsSame;
54:    }
55:
56:    // Een andere klasse om in de gelinkte lijst te
57:    // plaatsen. Elke klasse in deze gelinkte lijst
58:    // moet Show and Compare ondersteunen.
59:    class Cat
60:    {
61:    public:
62:      Cat(int age): myAge(age){}
63:      ~Cat()
64:      {
65:          cout << "Deleting ";
66:          cout << myAge << " years old Cat.\n";
```

```
67:      }
68:      int Compare(const Cat &) const;
69:      void Show() const
70:      {
71:          cout << "This cat is ";
72:          cout << myAge << " years old\n";
73:      }
74: private:
75:      int myAge;
76:   };
77:
78:
79: // Met Compare wordt bepaald waar in de lijst
80: // een bepaald object thuishoort.
81: int Cat::Compare(const Cat & theOtherCat) const
82: {
83:      if (myAge < theOtherCat.myAge)
84:          return kIsSmaller;
85:      if (myAge > theOtherCat.myAge)
86:          return kIsLarger;
87:      else
88:          return kIsSame;
89: }
90:
91:
92: // ADT die het node-object in de lijst voorstelt
93: // Elke afgeleide klasse moet Insert and Show
         overschrijven
94: template <class T>
95: class Node
96: {
97: public:
98:      Node(){}
99:      virtual ~Node(){}
100:     virtual Node * Insert(T * theObject)=0;
101:     virtual void Show() const = 0;
102: private:
103: };
104:
105: template <class T>
106: class InternalNode: public Node<T>
107: {
108: public:
109:     InternalNode(T * theObject, Node<T> * next);
```

Programma 26.1 Vervolg

```
110:      virtual ~InternalNode()
110a:         { delete myNext; delete myObject; }
111:      virtual Node<T> * Insert(T * theObject);
112:      virtual void Show() const
113:      {
114:        myObject->Show();
115:        myNext->Show();
116:      } // delegeren!
117: private:
118:         T * myObject;  // het Object zelf
119:         Node<T> * myNext;
120:   };
121:
122: // De constructor initialiseert slechts
123: template <class T>
124: InternalNode<T>::InternalNode
124a: (T * theObject, Node<T> * next):
125: myObject(theObject),myNext(next)
126: {
127: }
128:
129: // de kern van de lijst
130: // Wanneer u een nieuw object in de lijst plaatst,
131: // wordt het doorgegeven aan de node die uitzoekt
132: // waar het thuishoort en het in de lijst invoegt
133: template <class T>
134: Node<T> * InternalNode<T>::Insert(T * theObject)
135: {
136:
137:      // is de nieuwe groter of kleiner dan ik?
138:          int result = myObject->Compare(*theObject);
139:
140:
141:          switch(result)
142:          {
143:
144:          case kIsSame:       // door naar volgende regel
145:          case kIsLarger:
146:              {
147:                 InternalNode<T> * ObjectNode =
148:                 new InternalNode<T>(theObject, this);
149:                 return ObjectNode;
```

```
150:                }
151:
152:             // doorgeven aan volgende node en door
153:             // HEM laten afhandelen.
154:             case kIsSmaller:
155:                     myNext = myNext->Insert(theObject);
156:                     return this;
157:             }
158:             return this;  // MSC tevreden stellen
159: }
160:
161:
162:     // Tail-node is slechts een identificatieteken
163:     template <class T>
164:     class TailNode : public Node<T>
165:     {
166:     public:
167:         TailNode(){}
168:         virtual ~TailNode(){}
169:         virtual Node<T> * Insert(T * theObject);
170:         virtual void Show() const { }
171:
172:     private:
173:
174:     };
175:
176:     // Moet voor mij worden ingevoegd,
177:     // want ik ben de tail en er komt NIETS na mij
178:     template <class T>
179:     Node<T> * TailNode<T>::Insert(T * theObject)
180:     {
181:         InternalNode<T> * ObjectNode =
182:         new InternalNode<T>(theObject, this);
183:         return ObjectNode;
184:     }
185:
186:     // Head-node heeft geen Object, maar wijst alleen
187:     // naar het begin van de lijst
188:     template <class T>
189:     class HeadNode : public Node<T>
190:     {
191:     public:
192:         HeadNode();
193:         ~HeadNode() { delete myNext; }
```

```
194:            virtual Node<T> * Insert(T * theObject);
```

Programma 26.1 Vervolg

```
195:            virtual void Show() { myNext->Show(); }
196:        private:
197:            Node<T> * myNext;
198:        };
199:
200:    // Zodra de head is gemaakt,
201:    // maakt deze de tail
202:    template <class T>
203:    HeadNode<T>::HeadNode()
204:    {
205:        myNext = new TailNode<T>;
206:    }
207:
208:    // Er komt niets voor de head, geef
209:    // het Object dus door aan de volgende node
210:    template <class T>
211:    Node<T> * HeadNode<T>::Insert(T * theObject)
212:    {
213:        myNext = myNext->Insert(theObject);
214:        return this;
215:    }
216:
217:    // Ik strijk met de eer en doe geen spatje werk
218:    template <class T>
219:    class LinkedList
220:        {
221:        public:
222:            LinkedList();
223:            ~LinkedList() { delete myHead; }
224:            void Insert(T * theObject);
225:            void ShowAll() const { myHead->Show(); }
226:        private:
227:            HeadNode<T> * myHead;
228:        };
229:
230:        // In begin creëer ik de head-node
231:        // Deze creëert de tail-node
232:        // Een lege lijst wijst dus naar de head die
233:        // naar de tail wijst, met niets daartussen
234:        template <class T>
```

```
235:         LinkedList<T>::LinkedList()
236:         {
237:             myHead = new HeadNode<T>;
238:         }
239:
240:         // Delegeren, delegeren, delegeren
241:         template <class T>
242:         void LinkedList<T>::Insert(T * pObject)
243:         {
244:             myHead->Insert(pObject);
245:         }
246:
247:         // testdriver-programma
248:         int main()
249:         {
250:             Cat * pCat;
251:             Data * pData;
252:             int val;
253:             LinkedList<Cat> ListOfCats;
254:             LinkedList<Data> ListOfData;
255:
256:             // vraag de gebruiker naar enkele waarden
257:             // en plaats deze in de lijst
258:             for (;;)
259:             {
260:                 cout << "What value? (0 to stop): ";
261:                 cin >> val;
262:                 if (!val)
263:                     break;
264:                 pCat = new Cat(val);
265:                 pData= new Data(val);
266:                 ListOfCats.Insert(pCat);
267:                 ListOfData.Insert(pData);
268:             }
269:
270:             // loop door de lijst en toon het Object
271:             cout << "\n";
272:             ListOfCats.ShowAll();
273:             cout << "\n";
274:             ListOfData.ShowAll();
275:             cout << "\n *********** \n\n";
276:             return 0;
277:         }
```

```
What value? (0 to stop): 5
What value? (0 to stop): 13
What value? (0 to stop): 2
What value? (0 to stop): 9
What value? (0 to stop): 7
What value? (0 to stop): 0

This cat is 2 years old
This cat is 5 years old
This cat is 7 years old
This cat is 9 years old
This cat is 13 years old

2
5
7
9
13


************

Deleting Data object with value: 13
Deleting Data object with value: 9
Deleting Data object with value: 7
Deleting Data object with value: 5
Deleting Data object with value: 2
Deleting 13 years old Cat.
Deleting 9 years old Cat.
Deleting 7 years old Cat.
Deleting 5 years old Cat.
Deleting 2 years old Cat.
```

Het eerste wat u dient op te vallen is de opvallende gelijkenis met het programma in de vorige les. De grootste wijziging is dat elke klassedeclaratie en methode wordt voorafgegaan door:

```
template class <T>
```

Dit vertelt de compiler dat het een parametrische lijst betreft voor een type dat u later zult opgeven. De declaratie van de klasse Node wordt nu bijvoorbeeld:

```
template <class T>
class Node
```

Dit geeft aan dat Node niet als een klasse op zichzelf bestaat, maar dat u instanties van Nodes voor Cat-objecten en van Nodes voor Data-objecten zult maken. Het type dat u zult doorgeven wordt voorgesteld door T.

Daarom wordt InternalNode nu InternalNode<T> (lees dat als 'InternalNode van T'). InternalNode<T> wijst niet naar een Data-object en een andere Node, maar wijst in plaats daarvan naar T (elk mogelijk type of object) en naar Node<T>. U ziet dit op de regels 118 en 119.

Bestudeer zorgvuldig Insert, gedefinieerd op de regels 133 t/m 159. De logica is hetzelfde, maar waar we eerst een specifiek type (Data) hadden, hebben we nu T. Daarom is de parameter op regel 134 een pointer naar T. Wanneer we later de specifieke lijsten maken, worden de juiste typen (Data of Cat) op de plaats van de T ingevuld.

Het is belangrijk dat de InternalNode onafhankelijk van het werkelijke type kan blijven werken. De InternalNode vraagt de objecten zich met elkaar te vergelijken. De node weet niet of Cats zich op dezelfde manier met elkaar kunnen vergelijken als Data-objecten. In feite kunnen we ook programmacode schrijven waarbij de Cats hun leeftijd niet behouden. We kunnen ze hun geboortedatum laten behouden en de relatieve leeftijd al doende berekenen. Voor de InternalNode maakt het niets uit.

DE STANDAARD TEMPLATE-BIBLIOTHEEK

Een nieuwe ontwikkeling in C++ is de *Standard Template Library* (STL). Alle grote leveranciers van compilers bieden de STL nu als onderdeel van hun compiler. STL is een bibliotheek van containerklassen op basis van templates, inclusief vectoren, lijsten, wachtrijen en stacks. De STL bevat ook een aantal veelvoorkomende algoritmen, bijvoorbeeld voor sorteren en zoeken.

Het doel van de STL is te voorkomen dat u steeds opnieuw het wiel moet uitvinden. De STL is getest en van bugs ontdaan, biedt goede prestaties en is gratis! Het voornaamste is dat de STL kan worden hergebruikt. Wanneer u weet hoe u een STL-container gebruikt, kunt u deze in al uw programma's toepassen.

In deze les hebt u geleerd hoe u met templates gelinkte lijsten kunt verbeteren.

EXCEPTIES EN FOUT- AFHANDELING

In deze les leert u excepties en foutafhandeling kennen.

HET ONVERWACHTE AFHANDELEN

De programmacode die u in dit boek hebt gezien is als voorbeeld bedoeld. Er zijn geen fouten behandeld, zodat u niet zou worden afgeleid van de zaken waar het om ging. In een programma uit de praktijk dient u echter wel rekening te houden met foutsituaties. In een echt programma kan het anticiperen op, en afhandelen van fouten zelfs het grootste deel van de programmacode uitmaken!

U kunt exceptionele situaties niet voorkomen; u kunt alleen voorbereidingen treffen. De gebruikers zullen van tijd tot tijd geheugen tekort komen en de enige vraag is wat in dat geval uw reactie is.

De exceptie-afhandeling van C++ biedt een veilige, geïntegreerde methode om met voorspelbare maar ongewone situaties om te gaan die bij het uitvoeren van een programma nu eenmaal optreden.

EXCEPTIES

In C++ is een *exceptie* een object dat van het codegebied waar een probleem optreedt, wordt doorgegeven aan het gedeelte van de programmacode waar het probleem wordt afgehandeld. Het type van de exceptie bepaalt welke codegebied het probleem afhandelt. Nadat een *throw* van de eventuele inhoud van het object is uitgevoerd, wordt het voor feedback naar de gebruiker benut.

Het basisidee achter excepties is tamelijk helder:

- De werkelijke toewijzing van bronnen (bijvoorbeeld de toewijzing van geheugen of de vergrendeling van een bestand), vindt meestal op een laag niveau in het programma plaats.

- De logica van wat er moet gebeuren wanneer een bewerking faalt, er geen geheugen kan worden toegewezen of een bestand niet kan worden vergrendeld bevindt zich meestal hoog in het programma; bij de programmacode voor interactie met de gebruiker.

- Excepties voorzien in een direct traject tussen de programmacode die bronnen toewijst en de programmacode die de foutsituaties kan afhandelen. Als er tussengelegen functielagen zijn, krijgen deze een kans de geheugentoewijzingen op te schonen, maar er hoeft geen programmacode in te zijn opgenomen die alleen tot doel heeft de foutsituaties door te geven.

HOE EXCEPTIES WORDEN TOEGEPAST

> **Een try-block** Een reeks statements die begint met het woord `try`, gevolgd door een accolade voor openen, en die eindigt met een accolade voor sluiten.
>
> Voorbeeld:
>
> ```
> try
> {
> Function();
> };
> ```

Met `try`-blocks worden codegebieden afgebakend waarin zich een probleem zou kunnen bevinden. Voorbeeld:

```
try
{
SomeDangerousFunction();
}
```

Met `catch`-blocks worden de excepties afgehandeld waarvoor in het `try`-block een *throw* is uitgevoerd. Voorbeeld:

```
try
{
SomeDangerousFunction();
}
catch(OutOfMemory)
{
```

```
// onderneem enkele acties
}
catch{FileNotFound)
{
// onderneem een andere actie
}
```

De basisstappen bij excepties zijn:

1. Identificeer de gebieden van het programma waar u een bewerking begint die tot een exceptie kan leiden, en plaats deze in try-blocks.

2. Maak catch-blocks om de excepties waarvoor *throw* is uitgevoerd af te vangen, om toegekend geheugen op te ruimen en om de gebruiker op de hoogte te brengen. Programma 27.1 geeft een voorbeeld van de toepassing van try-blocks en catch-blocks.

Excepties zijn objecten waarmee informatie over een probleem wordt overgebracht.

Een try-block is een blok tussen accolades, waarvanuit een throw voor de exceptie wordt uitgevoerd.

Een catch-block is het blok dat onmiddellijk volgt op een try-block, waarin excepties worden afgehandeld.

Wanneer er een throw voor een exceptie is uitgevoerd, wordt de besturing overgebracht naar het catch-block dat onmiddellijk op het huidige try-block volgt.

Programma 27.1 Een exceptie opwekken

```
0:   #include <iostream.h>
1:
2:   const int DefaultSize = 10;
3:
4:   // definieer de exceptieklasse
5:   class xBoundary
6:   {
7:   public:
8:       xBoundary() {}
9:       ~xBoundary() {}
10:  private:
11:   };
```

Programma 27.1 Vervolg

```
12:
13:
14:        class Array
15:        {
16:        public:
17:            // constructors
18:            Array(int itsSize = DefaultSize);
19:            Array(const Array &rhs);
20:            ~Array() { delete [] pType;}
21:
22:            // operators
23:            Array& operator=(const Array&);
24:            int& operator[](int offSet);
25:            const int& operator[](int offSet) const;
26:
27:            // accessors
28:            int GetitsSize() const { return itsSize; }
29:
30:            // friend-functie
31:            friend ostream& operator<<
31a:           (ostream&, const Array&);
32:
33:        private:
34:            int *pType;
35:            int  itsSize;
36:        };
37:
38:
39:        Array::Array(int size):
40:        itsSize(size)
41:        {
42:            pType = new int[size];
43:            for (int i = 0; i<size; i++)
44:                pType[i] = 0;
45:        }
46:
47:
48:        Array& Array::operator=(const Array &rhs)
49:        {
50:            if (this == &rhs)
51:                return *this;
```

```
52:            delete [] pType;
53:            itsSize = rhs.GetitsSize();
54:            pType = new int[itsSize];
55:            for (int i = 0; i<itsSize; i++)
56:                 pType[i] = rhs[i];
57:            return *this;
58:        }
59:
60:        Array::Array(const Array &rhs)
61:        {
62:            itsSize = rhs.GetitsSize();
63:            pType = new int[itsSize];
64:            for (int i = 0; i<itsSize; i++)
65:                 pType[i] = rhs[i];
66:        }
67:
68:
69:        int& Array::operator[](int offSet)
70:        {
71:            int size = GetitsSize();
72:            if (offSet >= 0 && offSet < GetitsSize())
73:                 return pType[offSet];
74:            throw xBoundary();
75:            return pType[offSet]; // om MSC tevreden te stellen!
76:
77:        }
78:
79:
80:        const int& Array::operator[](int offSet) const
81:        {
82:            int mysize = GetitsSize();
83:            if (offSet >= 0 && offSet < GetitsSize())
84:                 return pType[offSet];
85:            throw xBoundary();
86:            return pType[offSet]; // om MSC tevreden te stellen!
87:        }
88:
89:        ostream& operator<<
89a:            (ostream& output, const Array& theArray)
90:        {
91:            for (int i = 0; i<theArray.GetitsSize(); i++)
92:            {
92a:                output << "[" << i << "] ";
```

Programma 27.1 Vervolg

```
92b               output << theArray[i] << endl;
92c:          }
93:        return output;
94:     }
95:
96:     int main()
97:     {
98:        Array intArray(20);
99:        try
100:         {
101:            for (int j = 0; j< 100; j++)
102:            {
103:                intArray[j] = j;
104:                cout << "intArray[" ;
104a:               cout << j << "] okay..." << endl;
105:            }
106:         }
107:        catch (xBoundary)
108:         {
109:            cout << "Unable to process your input!\n";
110:         }
111:         cout << "Done.\n";
112:        return 0;
113:     }
```

Resultaat

```
intArray[0] okay...
intArray[1] okay...
intArray[2] okay...
intArray[3] okay...
intArray[4] okay...
intArray[5] okay...
intArray[6] okay...
intArray[7] okay...
intArray[8] okay...
intArray[9] okay...
intArray[10] okay...
intArray[11] okay...
intArray[12] okay...
intArray[13] okay...
intArray[14] okay...
intArray[15] okay...
```

```
intArray[16] okay...
intArray[17] okay...
intArray[18] okay...
intArray[19] okay...
Unable to process your input!
Done.
```

In programma 27.1 is een enigszins uitgeklede Array-klasse te zien, die alleen is gemaakt om een voorbeeld van dit eenvoudige gebruik van excepties te geven. Op de regels 5 t/m 11 wordt een zeer eenvoudige exceptieklasse gedeclareerd, xBoundary. Het belangrijkste dat u aan deze klasse zou moeten opvallen is dat er helemaal niets is dat deze klasse tot een exceptieklasse maakt. In feite is elke klasse, met elke naam en elk aantal methoden en variabelen, prima geschikt om als exceptie te dienen. Wat de klasse tot een exceptie maakt is slechts het feit dat er throw op wordt uitgevoerd, zoals is te zien op regel 74 en dat de klasse met catch weer wordt afgevangen, zoals op regel 107 is te zien.

De offset-operatoren voeren throw op xBoundary uit wanneer de client van de klasse een poging doet om toegang tot de gegevens buiten de array te krijgen. Dit heeft zeker de voorkeur boven de manier waarop gewone arrays een dergelijk verzoek afhandelen. Gewone arrays leveren gewoon de troep af die zich toevallig op de betreffende locatie in het geheugen bevindt; een onfeilbare manier om uw programma te laten *crashen*.

Op regel 99 begint het gereserveerde woord try een try-block dat op regel 106 eindigt. Binnen dat try-block worden er 100 integers toegevoegd aan de array die op regel 98 is gedeclareerd.

Op regel 107 wordt het catch-block voor het afvangen van xBoundary-excepties gedeclareerd.

> **Een catch-block** Een reeks statements, die elk met het woord catch beginnen, gevolgd door een exceptietype tussen haakjes, gevolgd door een accolade voor openen, en beëindigd door een accolade voor sluiten.

DE TOEPASSING VAN try-BLOCKS EN catch-BLOCKS

Waar u de try-blocks moet plaatsen is waarschijnlijk wel de moeilijkste vraag bij de toepassing van excepties. Het is niet altijd duidelijk welke acties tot een exceptie kunnen leiden. De volgende vraag is waar u de exceptie wilt afvangen. Misschien wilt u daar waar het geheugen wordt toegewezen een throw voor alle geheugenexcepties uitvoeren, maar u zult de excepties hoog in het programma weer willen afvangen, omdat u daar de gebruikersinterface afhandelt.

Ga wanneer u de plaats van try-blocks probeert te bepalen na waar u geheugen toewijst of bronnen gebruikt. Andere zaken waar u naar kunt kijken zijn out-of-bounds-fouten, ongeldige invoer, enzovoort.

EXCEPTIES AFVANGEN

Zo werkt het afvangen van excepties: wanneer er throw voor een exceptie is uitgevoerd, wordt de *call stack* gecontroleerd. De call stack is de lijst met functie-aanroepen die wordt gemaakt wanneer een deel van het programma een andere functie aanroept.

De call stack controleert het uitvoeringstraject. Als main() de functie Animal::GetFavoriteFood() aanroept en GetFavorite-Food() de functie Animal::LookupPreferences() aanroept, die vervolgens weer fstream::operator>>() aanroept, bevinden deze zich alle in de call stack. Een recursieve functie kan vele malen in de call stack staan.

De exceptie wordt in de call stack naar boven doorgegeven aan elk omsluitend block. Terwijl de stack wordt afgewikkeld, worden de destructors voor lokale objecten in de stack aangeroepen, en worden de objecten vernietigd.

Na elk try-block volgen één of meer catch-statements. Als de exceptie overeenkomt met één van de catch-statements, kan de exceptie worden afgehandeld door dat statement uit te voeren. Als de exceptie met geen enkel statement overeenkomt, wordt de stack verder afgewikkeld.

Als de exceptie het begin van het programma bereikt (main()) en nog steeds niet is afgevangen, wordt er een ingebouwde *handler* aangeroepen die het programma beëindigt.

Het is van belang dat u weet dat het afwikkelen van de stack bij een exceptie éénrichtingsverkeer is. De stack wordt afgewikkeld en de objecten in de stack worden vernietigd. Er is geen weg terug: wanneer de exceptie is afgehandeld, gaat het programma verder na het try-block van het statement catch dat de exceptie heeft afgehandeld.

De uitvoering van programma 27.1 zal daarom op regel 111 verdergaan, de eerste regel na het try-block van het statement catch dat de exceptie xBoundary heeft afgehandeld. Onthoud dat wanneer er een exceptie optreedt, de programma-uitvoering na het catch-block verdergaat, en niet na het punt waar er throw voor de exceptie is uitgevoerd.

MEER DAN ÉÉN CATCH

Het is mogelijk dat meer dan één foutsituatie een exceptie veroorzaakt. In dat geval kunnen de catch-statements na elkaar worden geplaatst, op ongeveer dezelfde manier als bij het statement switch. Het equivalent van het statement default is het statement 'alles afvangen', dat wordt aangegeven door catch(...).

EXCEPTIES AFVANGEN ALS REFERENTIE EN DOOR MIDDEL VAN POLYMORFISME

U kunt gebruikmaken van het feit dat excepties gewoon klassen zijn en ze polymorf gebruiken. Door de exceptie als referentie door te geven, kunt u de overervingsstructuur toepassen om de juiste actie te ondernemen op basis van het runtime-type van de exceptie. Programma 27.2 is een voorbeeld waarin excepties polymorf worden toegepast.

Programma 27.2 Polymorfe excepties

```
0:    #include <iostream.h>
1:
2:    const int DefaultSize = 10;
3:
4:    // definieer de exceptieklassen
```

Programma 27.2 Vervolg

```
5:        class xBoundary {};
6:
7:        class xSize
8:        {
9:        public:
10:           xSize(int size):itsSize(size) {}
11:           virtual ~xSize(){}
12:           virtual int GetSize() const { return itsSize; }
13:           virtual void PrintError() const
14:           {
14a:              cout << "Size error. Received: ";
14b:              cout  << itsSize << endl; }
14c:           }
15:        protected:
16:           int itsSize;
17:        };
18:
19:        class xTooBig : public xSize
20:        {
21:        public:
22:          xTooBig(int size):xSize(size){}
23:          virtual void PrintError() const
24:           { cout << "Too big! Received: ";
25:             cout << xSize::itsSize << endl; }
26:        };
27:
28:        class xTooSmall : public xSize
29:        {
30:        public:
31:          xTooSmall(int size):xSize(size){}
32:          virtual void PrintError() const
33:           { cout << "Too small! Received: ";
34:             cout << xSize::itsSize << endl; }
35:        };
36:
37:        class xZero  : public xTooSmall
38:        {
39:        public:
40:          xZero(int size):xTooSmall(size){}
41:          virtual void PrintError() const
42:           { cout << "Zero!!. Received: ";
43:             cout << xSize::itsSize << endl; }
```

```
44:         };
45:
46:         class xNegative : public xSize
47:         {
48:         public:
49:            xNegative(int size):xSize(size){}
50:            virtual void PrintError() const
51:             { cout << "Negative! Received: ";
52:                cout << xSize::itsSize << endl; }
53:         };
54:
55:
56:     class Array
57:     {
58:     public:
59:        // constructors
60:        Array(int itsSize = DefaultSize);
61:        Array(const Array &rhs);
62:        ~Array() { delete [] pType;}
63:
64:        // operators
65:        Array& operator=(const Array&);
66:        int& operator[](int offSet);
67:        const int& operator[](int offSet) const;
68:
69:        // accessors
70:        int GetitsSize() const { return itsSize; }
71:
72:        // friend-functie
73:        friend ostream& operator<<
73a:         (ostream&, const Array&);
74:
75:
76:     private:
77:        int *pType;
78:        int  itsSize;
79:     };
80:
81:     Array::Array(int size):
82:     itsSize(size)
83:     {
84:        if (size == 0)
85:            throw xZero(size);
86:
```

Programma 27.2 Vervolg

```
87:      if (size < 0)
88:          throw xNegative(size);
89:
90:      if (size < 10)
91:          throw xTooSmall(size);
92:
93:      if (size > 30000)
94:           throw xTooBig(size);
95:
96:
97:      pType = new int[size];
98:      for (int i = 0; i<size; i++)
99:          pType[i] = 0;
100:  }
101:
102:  int& Array::operator[] (int offset)
103:  {
104:     int size = GetitsSize();
105:     if (offset >= 0 && offset < GetitsSize())
106:          return pType[offset];
107:     throw xBoundary();
108:          return pType[offset];
109:  }
110:
111:  const int& Array::operator[] (int offset) const
112:  {
113:     int size = GetitsSize();
114:     if (offset >= 0 && offset < GetitsSize())
115:          return pType[offset];
116:     throw xBoundary();
117:          return pType[offset];
118:  }
119:
120:     int main()
121:     {
122:
123:         try
124:         {
125:             int choice;
126:             cout << "Enter the array size: ";
127:             cin >> choice;
128:             Array intArray(choice);
```

```
129:                    for (int j = 0; j< 100; j++)
130:                    {
131:                        intArray[j] = j;
132:                        cout << "intArray[";
132a:                       cout << j << "] okay..." << endl;
133:                    }
134:                }
135:                catch (xBoundary)
136:                {
137:                    cout << "Unable to process your input!\n";
138:                }
139:                catch (xSize& theException)
140:                {
141:                    theException.PrintError();
142:                }
143:                catch (...)
144:                {
145:                    cout << "Something went wrong,";
145a:                   cout << " but IÆve no idea what!" << endl;
146:                }
147:                cout << "Done.\n";
148:            return 0;
149:        }
```

Resultaat

```
Enter the array size: 5
Too small! Received: 5
Done.

Enter the array size: 50000
Too big! Received: 50000
Done.

Enter the array size: 12
intArray[0] okay...
intArray[1] okay...
intArray[2] okay...
intArray[3] okay...
intArray[4] okay...
intArray[5] okay...
intArray[6] okay...
intArray[7] okay...
intArray[8] okay...
intArray[9] okay...
```

```
intArray[10] okay...
intArray[11] okay...
Unable to process your input!
Done.
```

Programma 27.2 declareert de virtuele methode `PrintError()` in de klasse `xSize`, die een foutbericht en de werkelijke grootte van de klasse afdrukt. Deze methode wordt in elke afgeleide klasse overschreven.

Op regel 139 wordt het object van de exceptie als referentie gedeclareerd. Wanneer `PrintError()` wordt aangeroepen met een referentie naar een object, zorgt polymorfisme ervoor dat de juiste versie van `PrintError()` wordt aangeroepen. De eerste keer vragen we naar een array van 5. Hierdoor wordt er een throw voor de exceptie `TooSmall` uitgevoerd. Deze exceptie wordt op regel 139 afgevangen (`xSize`). De tweede keer vragen we naar een array van 50.000, waardoor er een throw voor de exceptie `TooBig` wordt uitgevoerd. Deze wordt ook op regel 139 afgevangen, maar polymorfisme zorgt ervoor dat de juiste fout-string wordt afgedrukt. Wanneer we ten slotte naar een array van 12 vragen, wordt de array opgevuld totdat een throw voor de exceptie `xBoundary` wordt uitgevoerd, die op regel 135 wordt afgevangen.

In deze les hebt u met excepties leren werken.

DE VOLGENDE STAP

28

In deze les leert u hoe u meer over C++ te weten kunt komen.

HULP EN ADVIES

U kent nu de grondbeginselen van C++, maar dit is het begin en niet het einde van uw studie. Als u hebt gemerkt dat u graag in C++ programmeert, kunt u overwegen een boek te lezen dat wat dieper op de materie ingaat. Bijvoorbeeld mijn boek *Teach Yourself C++ in 21 Days*, of een boek voor gevorderden, zoals mijn boek *C++ Unleashed*.

Een andere mogelijkheid voor u als C++-programmeur zijn nieuwsgroepen en andere mogelijkheden voor online overleg. Deze groepen bieden u rechtstreeks contact met honderdduizenden C++-programmeurs die uw vragen kunnen beantwoorden, advies geven en een klankbord voor uw ideeën bieden.

Ik participeer in de C++-nieuwsgroepen op internet (*comp.lang.c++* en *comp.lang.c++.moderated*). U zult merken dat u door anderen te helpen ook zelf helderder gaat denken.

U kunt ook op zoek gaan naar lokale gebruikersgroepen. In veel steden zijn C++-groepen waar u andere programmeurs kunt ontmoeten met wie u ideeën kunt uitwisselen.

TIJDSCHRIFTEN

Er is nog iets wat u kunt doen om uw vaardigheden te verbeteren: wordt abonnee van een goed tijdschrift over programmeren met C++. Het beste tijdschrift op dit gebied is volgens mij *C++ Report* van SIGS Publications. Elk uitgave staat vol bruikbare artikelen. Bewaar ze; wat u op het moment niet interessant lijkt kan later van cruciaal belang zijn. (Voor de goede orde: ik schrijf een maandelijk-

se column in C++ Report en heb dus enig belang bij de verkoop.
Desondanks vind ik *C++ Report* oprecht de moeite waard.) U kunt
C++ Report bereiken op http://www.creport.com of via SIGS Publications, P.P. Box 2031, Langhorne, PA 19047-9700, Verenigde Sta-
ten.

CONTACT HOUDEN

Als u opmerkingen, suggesties of ideeën over dit boek of andere
boeken hebt, hoor ik dat graag. E-mail me op het adres
jliberty@libertyassociates.com of bekijk mijn website:
www.libertyassociates.com. Hier vindt u ondersteuning voor dit boek
en een e-maillijst voor mijn lezers. Ik hoor graag van u.

PRIORITEIT VAN OPERATOREN

Het is belangrijk dat u weet dat operatoren een bepaalde prioriteit bezitten, maar u hoeft deze niet uit het hoofd te kennen.

Onder *prioriteit* verstaan we hier de volgorde waarin een programma de bewerkingen in een formule uitvoert. Als een operator een hogere prioriteit heeft, wordt deze eerder beoordeeld.

Operatoren met een hogere prioriteit hebben een 'sterkere binding' dan operatoren met een lagere prioriteit; daarom worden operatoren met een hogere prioriteit het eerst beoordeeld. Hoe lager het rangnummer in de volgende tabel, hoe hoger de prioriteit.

Tabel A.1

RANGNUMMER	NAAM	OPERATOR
1	resolutie scope	::
2	lidselectoren, subscriptie	. ->
	functie-aanroepen, postfix increment	()
	en decrement	++ —
3	sizeof, prefix increment en decrement,	++ —
	complement, and, not,	^ !
	unair min en plus,	^ !
	adres van en dereferentie, new, new[],	- +
	delete,	- +
	delete[], cast, sizeof()	& *
		()

Tabel A.1

RANGNUMMER	NAAM	OPERATOR
4	lidselectie voor pointer	.* ->*
5	vermenigvuldigen, delen, rest	* / %
6	optellen, aftrekken	+ -
7	bitverschuiving	<< >>
8	relationele operatoren	< <= > >=
9	gelijk, ongelijk	== !=
10	bit-operator AND	&
11	bit-operator XOR (exclusief)	^
12	bit-operator OR	|
13	logische AND	&&
14	logische OR	||
15	rekenkundige if (conditioneel)	?:
16	toekenningsoperatoren	= *= /= %= += -= <<= >>= &= |= ^=
17	throw-operator	throw
18	komma-operator	,

TREFWOORDEN-LIJST

Symbolen

A

D

E

F